So schön ist

Niedersachsen

Sachbuchverlag Karin Mader

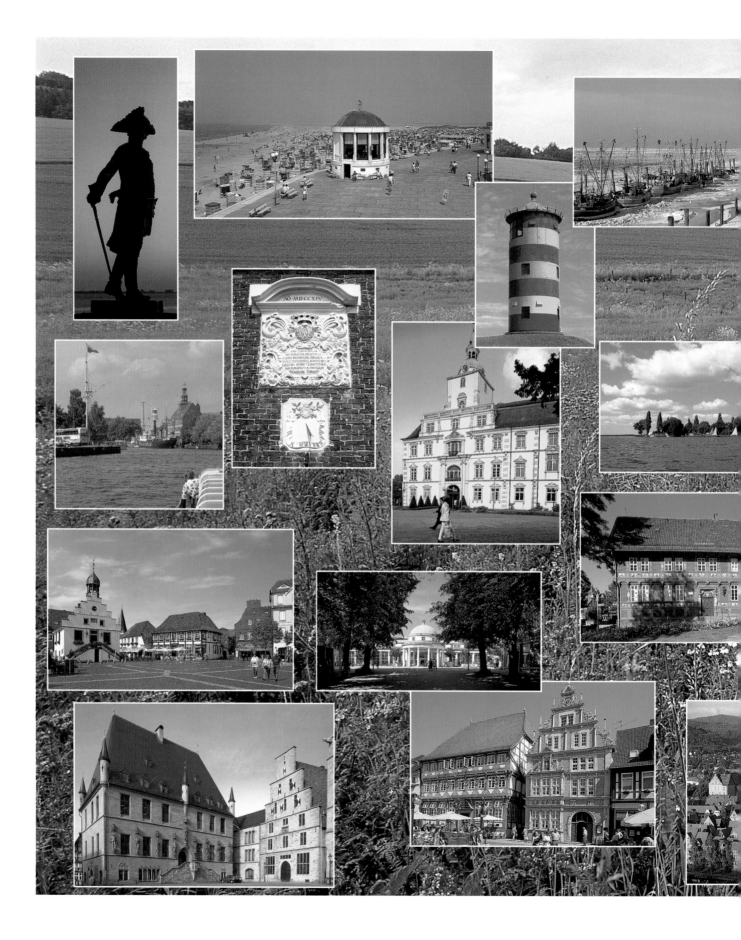

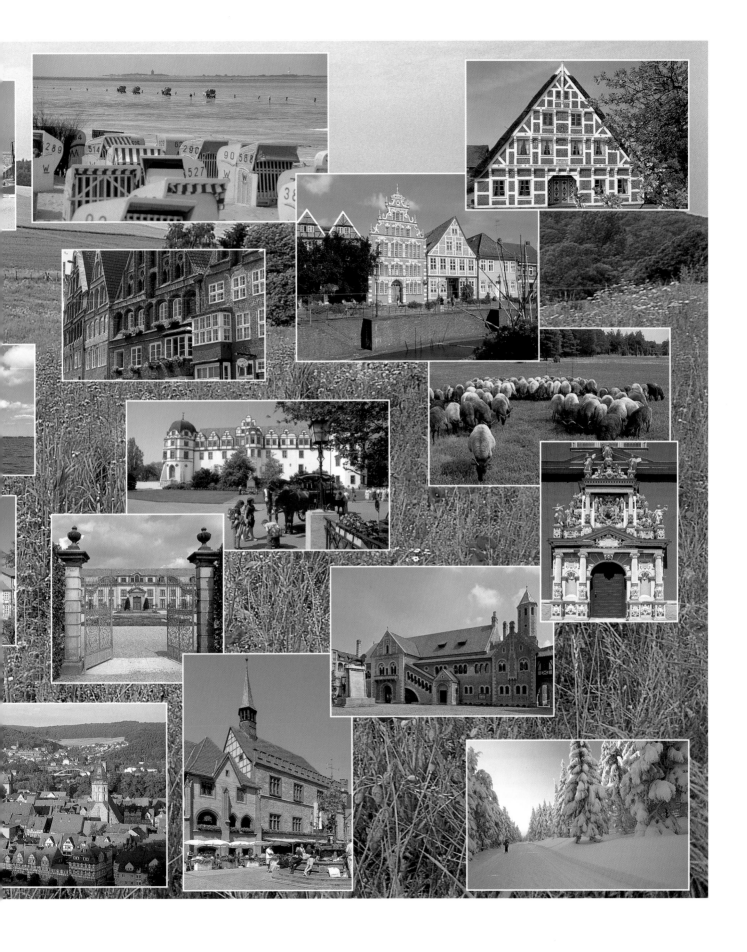

Inhalt

Fotos: Dirk Rademaker

Jost Schilgen: Seite 8, 30, 31, 38, 39, 41, 50, 57, 190, 191, 202

Bernd Schlüsselburg: Seite 16, 120, 151 oben + Mitte, 153 oben, 154 oben, 155

Ralph Masuch: Seite 207

Text: Hermann Gutmann

Karte: Gerold Paulus

Übersetzungen:
Englisch: Michael Meadows
Französisch: Mireille Patel

ISBN 3-921957-90-7

Die Ziffern hinter den Ortsnamen in dieser Karte entsprechen den Seitenzahlen in diesem Buch.

The numbers following the place names on this map correspond to the page numbers in the book.

Les chiffres qui suivent les noms des localités dans cette carte correspondent aux munéros des pages de ce livre.

„Niedersachsen" mit seinen Fürstentümern von Matth. Seutter um 1740.

Wir sind die Niedersachsen, sturmfest und erdverwachsen!
Heil, Herzog Widukinds Stamm!
Mit dem heldenhaften Herzog Widukind, der noch heute in stürmischen Nächten mit seinem Reiterheer durch die Schaumburger Berge geistern soll, können sich die Niedersachsen samt und sonders identifizieren, obwohl das Land Niedersachsen ein Kunstgebilde der Engländer ist, die nach dem Zweiten Weltkrieg Ostfriesen und Hannoveraner, Braunschweiger, Schaumburger und Oldenburger, Heidjer und Harzer in einen Topf steckten und miteinander zu einem Bundesland verrührten.
Es ist ein Land der Gegensätze, wenn man das einmal so pauschal sagen darf: Im Norden das Meer, die Küste, satte Weiden, Häfen, Fischerdörfer. Im Süden die Berge – fast bis zu tausend Meter hoch, Wälder, Fachwerkstädte, Goslar, die alte Kaiserpfalz. In der Mitte Heide, Landstädte, Städte, die Geschichte erzählen: Osnabrück, Braunschweig, Wolfenbüttel, Lüneburg, Celle. Und überall altes Kulturgut – Klöster, Schlösser, Burgen.
Niedersachsen ist aber auch ein Land der Märchen, Sagen und Geschichten: der Rattenfänger von Hameln, der Freiherr von Münchhausen, der Doktor Eisenbarth, Till Eulenspiegel. Zentrum des Landes ist Hannover, die alte Welfen-Residenz, einst Stadt der Könige, heute Stadt der großen Messen. Weltstadt – Expo 2000.
Niedersachsen – ein Land zum Bummeln, ein Ferienland.

We are Lower Saxons, Steadfast and rooted in the earth!
Hail, Duke Widukind's tribe!
The people of Lower Saxony can all identify with heroic Duke Widukind, who is still supposed to wander through the Schaumburg mountains with his horsemen on stormy nights, even though the federal state of Lower Saxony is an artificial entity created by the English, who put the people of East Frisia, Hanover, Braunschweig, Schaumburg and Oldenburg as well as residents of Lüneburger Heide and the Harz region in one pot and blended them together into one state.
It is a land of contrasts, if one may be permitted to put it in a nutshell. In the north the sea, the coast, lush pastures, ports and fishing villages. In the south the mountains – nearly a thousand meters high – forests, towns with half-timbered architecture and Goslar, site of the old imperial palace. In the center heath, rural towns, cities that recount history: Osnabrück, Braunschweig, Wolfenbüttel, Lüneburg, Celle. And everywhere old cultural assets – monasteries, palaces, castles. However, Lower Saxony is also a land of fairy tales, sagas and stories: the Pied Piper of Hamlin, Freiherr von Münchhausen, Doctor Eisenbarth, Till Eulenspiegel.
The center of the state is Hanover, the old royal seat of the Guelphs, once the city of kings, today the city of large trade fairs. An international city – Expo 2000.
Lower Saxony – a recreation and vacation land.

Nous sommes les résistants aux tempêtes, indissociables de notre terre, Salut!
Race du duc Widekind.
Tous les bas Saxons, sans exception, s'identifient au valeureux duc Widekind qui, encore de nos jours, par les nuits de tempêtes, hanterait les monts de Schaumburg avec son armée de cavaliers – et ceci bien que le land de Basse-Saxe soit une création artificelle des Anglais qui, après la Deuxième Guerre Mondiale mirent ensemble pêle-mêle Frise Orientale, Hanovre, Brunswick, Schaumburg, Oldenburg, Heide et Harz pour en faire un land de la République Fédérale.
C'est un land de contrastes, si l'on peut se permettre une telle généralisation. Au nord: la mer, la côte, de gras pâturages, des ports, des villages de pêcheurs. Au sud: des montagnes qui atteignent près de 1000 mètres, des forêts, des villes avec des constructions à colombages, Goslar, le vieux palais impérial. Au centre: la lande, des villes de province, des villes historiques: Osnabrück, Brunswick, Wolfenbüttel, Lüneburg, Celle – et partout d'anciens lieux de culture: couvents, châteaux, forteresses.
La Basse-Saxe est aussi un pays de contes de fées, de sagas et d'histoires: le preneur de rats de Hameln, le baron de Münchhausen, le docteur Eisenbarth, Till l'Espiègle.
Le centre du land est Hanovre, l'ancien siège des Guelfes, jadis ville des rois et maintenant ville des foires. C'est une grande métropole – Expo 2000.
La Basse-Saxe est un land où il fait bon se balader et passer des vacances.

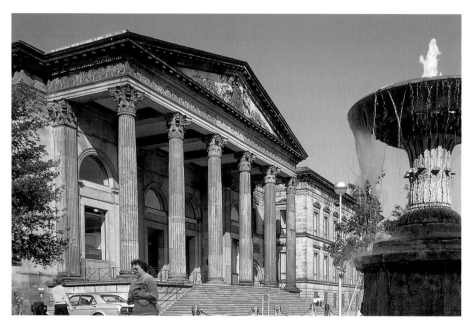

In Hannover an der Leine, . . .

. . . da haben die Mädchen hübsche Beine. Aber das reicht nicht, um eine Stadt zum Zentrum eines Landes zu machen. Hannover ist die größte, wirtschaftlich und kulturell bedeutendste Stadt Niedersachsens, eine der führenden Messestädte Europas. Machtzentrum des Landes ist das Leineschloß (oben), das Landtagsgebäude. Machtzentrum der Stadt ist das Neue Rathaus, zu Beginn des 20. Jh. erbaut.

....the girls there have pretty legs. However, that is not enough to make a city the center of a federal state. Hanover is not only the largest, but also economically and culturally the most important city in Lower Saxony, one of the most important Trade Fairs of world. The center of power in the state is Leineschloss (above), the state parliament building. The center of power in the city is the New Town Hall, built at the beginning of the 20th century.

„A Hanovre sur la Leine les jeunes filles ont de jolies jambes. . .". Mais cela ne suffit pas pour en faire le centre d'un land. Hanovre est la plus grande agglomération de Basse-Saxe et une ville économique et culturelle de première importance, est l'une des principales villes d'expositions d'Europe. Le château de Leine (ci-dessus) abrite le parlement. C'est de là que le land est gouverné. La municipalité est gérée à partir du Nouvel Hôtel de Ville.

Um den Holzmarkt herum befinden sich noch die Überreste der einstigen Fachwerkstadt: und auf dem Holzmarkt steht der Holzmarktbrunnen, der 1896 gestiftet und 1954 erneuert wurde. Eines der bekanntesten hannoverschen Bürgerhäuser ist das Leibnizhaus (rechts), dessen Fassade nach den Zerstörungen im Zweiten Weltkrieg wieder aufgebaut wurde. Der Mathematiker und Philosoph Gottfried Wilhelm Leibniz hat in Hannover gelebt und ist dort 1716 gestorben.

Around Holzmarkt are the remains of what was once a half-timbered town, and at Holzmarkt you will find the Holzmarkt Fountain, which was created in 1896 and restored in 1954. One of the most famous Hanoverian town houses is Leibniz House (right), whose facade was rebuilt after the destruction of the Second World War. Mathematician and philosopher Gottfried Wilhelm Leibniz lived in Hanover and died there in 1716.

Autour du Holzmarkt l'on trouve encore les vestiges des colombages de jadis. La fontaine du Holzmarkt fut réalisée en 1896 et rénovée en 1954. La Leibnizhaus (à droite) est l'une des maisons patriciennes les plus connues de Hanovre. Sa façade, détruite pendant la Deuxième Guerre Mondiale, fut reconstruite. Le mathématicien et philosophe Gottfried Wilhelm Leibniz vécut à Hanovre et y mourut en 1716.

Einen Lustgarten ließen sich die Calenberger Herzöge, die in Hannover residierte, Mitte des 17. Jahrhunderts in Herrenhausen anlegen, heute bekannt als Großer Garten in Herrenhausen und eine der bedeutendsten Sehenswürdigkeiten der Landeshauptstadt. Architektonische Dominante ist das barocke Galeriegebäude, das 1694 bis 1698 erbaut wurde. Im Festsaal befinden sich als Ausmalung Szenen aus der Aeneas-Sage. Es ist der größte barocke Freskenzyklus in Norddeutschland.

The Calenberg dukes, who resided in Hanover, had a pleasance laid out in Herrenhausen in the mid-17th century - today it is known as the Large Garden in Herrenhausen and is one of the major sights in the state capital. The dominant architectural feature is the baroque Gallery Building, constructed from 1694 to 1698. In the banqueting room there are painted scenes from the Aeneas saga, which form the largest baroque fresco cycle in northern Germany.

Les ducs de Calenberg qui résidaient à Hanovre, firent aménager un jardin de plaisance à Herrenhausen, au milieu du 17e siècle. De nos jours il est connu sous le nom de Grand Jardin d'Herrenhausen et c'est la principale curiosité de la ville. L'édifice le plus important du point de vue architectural est le Galeriegebäude, de style baroque, construit de 1694 à 1698. La salle des fêtes est décorée de scènes représentant l'épopée d'Enée. C'est le plus grand cycle de fresques d'Allemagne du Nord.

Die kunstliebende und geistreiche Kurfürstin Sophie, Frau von Ernst August, ließ den Park, der mit einer zwei Kilometer langen Lindenallee mit der Stadt Hannover verbunden ist, zu einem Juwel barocker Gartenbaukunst umgestalten. Gartenplastiken und Prunkvasen erfreuen das Auge. An den Wasserkünsten hat Leibniz beratend mitgewirkt. Das Gartentheater ist das älteste Heckentheater der Barockzeit. Kurfürstin Sophie hat von 1698 bis 1714 als Witwe im Galeriegebäude gewohnt.

Princess Sophie, art lover and the intelligent wife of Ernst August, had the park redesigned into a gem of baroque horticultural landscaping; it is linked to Hanover by a two-kilometer-long avenue bordered by lime trees. Among the eye-catchers are garden sculptures and splendid vases. Leibniz was involved in designing the fountains in an advisory capacity. The garden theater is the oldest hedge theater of the baroque period. Princess Sophie lived in the Gallery Building as a widow from 1698 to 1714.

La princesse électrice Sophie, amie des arts et pleine d'esprit, épouse d'Ernst August, transforma ce parc en un joyau de l'art des jardins baroques. Il est relié à la ville de Hanovre par une allée de tilleuls longue de deux kilomètres. Des statues et des vases d'apparat dans le jardin réjouissent la vue. Leibniz participa, en tant que conseiller, à la construction des jeux d'eau. Le théâtre du jardin est le plus vieux „théâtre de haies" de l'époque baroque. La princesse Sophie, devenue veuve, habita de 1698 à 1714 dans le Galeriegebäude.

Der Mittellandkanal, der durch Hannover fließt, führt vom Dortmund-Ems-Kanal bis nach Magdeburg-Rothensee an der Elbe. Er ist 321,3 Kilometer lang und für Schiffe bis 1.000 t befahrbar. Der Kanal wurde 1938 fertiggestellt. Er verbindet unter anderem durch Kanäle und Seitenkanäle Berlin und das Odergebiet mit der Elbe, der Weser, der Ems und dem Ruhrgebiet.

The Midland Canal, which flows through Hanover, runs from the Dortmund-Ems Canal to Magdeburg-Rothensee on the Elbe River. It is 321.3 kilometers long and navigable for ships up to 1000 t. The canal was completed in 1938. Among other things, it links Berlin and the Oder region to the Elbe, Weser and Ems Rivers and the Ruhr region via canals and side channels.

Le canal de Mittelland qui traverse Hanovre, relie le canal Dortmund-Ems à la ville de Magdeburg-Rothensee sur l'Elbe. Il mesure 321,3 kilomètres et peut être empunté par des bateaux de 1000 tonneaux. Il fut construit en 1938. Grâce à un réseau de canaux, il réunit, entre autres, Berlin et la région de l'Oder à l'Elbe, la Weser, l'Ems et la région de la Ruhr.

Peine bei Hannover zeichnet sich durch etliche Fachwerkhäuser aus. Ein interessanter Bau ist das Alte Rathaus am Markt, das als Café genutzt wird. Es ist ein kleiner klassizistischer Baublock mit seitlichen Fachwerkwänden. Die Platzfront erhielt 1876 eine Putzfassade. Auf dem Dach steht eine Dachlaterne. Die Wetterfahne ist datiert mit 1827.

Peine near Hanover is characterized by numerous half-timbered houses. One of the most interesting buildings is the Old Town Hall at the marketplace, which is used as a café. It is a small classical block with side half-timbered walls. The front facing the square was given a plaster facade in 1876. On the roof is a lantern light. The weather vane dates from 1827.

Peine, près de Hanovre, se distingue par ses nombreuses constructions à colombages. Le Viel Hôtel de Ville qui accueille à présent un café est un édifice intéressant. C'est un petit édifice de style classique en forme de bloc. Ses côtés présentent des colombages et la façade de la place est crépie. Le toit est orné d'une lanterne. La giroutte date de 1827.

Braunschweiger Land – Land des Löwen

Braunschweig, im 9. Jahrhundert als Kaufmannssiedlung angelegt, gehörte seit 1031 dem Adelsgeschlecht der Welfen. Einer der bedeutendsten Welfen, Heinrich der Löwe, Sachsenherzog und Gegenspieler des Kaisers Friedrich Barbarossa, machte Braunschweig zu seiner Residenzstadt und ließ dort 1175 die „Burg Dankwarderode" bauen. Mit ihr wollte er den Kaiserpfalzen die Stirn bieten. Die Burg verwahrloste im Mittelalter, wurde aber im 19. Jahrhundert wieder aufgebaut und 1906 eingeweiht. 1944 wurde die Burg während eines Bombenangriffs stark beschädigt. Nach und nach, bis 1987, wurde sie wieder hergestellt.

Braunschweig, set up as a trading settlement in the 9th century, belonged to the royal house of the Guelphs since 1031. One of the most important Guelphs, Henry the Lion, a Saxon duke and opponent of Kaiser Friedrich Barbarossa, made Braunschweig his royal seat and had "Burg Dankwardrode" built there in 1175 in order to defy the imperial palaces. The castle deteriorated in the Middle Ages, but was rebuilt in the 19th century and officially opened in 1906. In 1944 the castle was severely damaged during a bombing raid. It was then gradually restored by 1987.

Brunswick, fondée au 9e siècle, était à l'origine une colonie de marchands qui passa sous l'hégémonie des Guelfes en 1031. Henri le Lion, duc de Saxe et adversaire de l'empereur Barberousse, fit de Brunswick sa ville de résidence et y fit construire en 1175 le château de Dankwarderode avec lequel il voulait faire échec au palais impérial. La forteresse se délabra au Moyen Age mais elle fut reconstruite au 19e siècle et inaugurée en 1906. Elle fut gravement endommagée par un bombardement en 1944. Sa reconstruction effectuée graduellement fut terminée en 1987.

Der bronzene Burglöwe auf dem Burgplatz wurde im Jahre 1166 von Herzog Heinrich dem Löwen als Symbol seiner Herrschaft und seiner Gerichtshoheit auf einem hohen Steinsockel errichtet. Es ist die erste deutsche Freiplastik. Allerdings ist der Löwe auf dem Burgplatz eine Kopie. Das Original befindet sich im Braunschweigischen Landesmuseum. Auf unserem Bild gleich links hinter dem Löwen steht das Gildehaus. Es wurde im Jahre 1901 hierher versetzt. Das Haus stammt aus dem jahre 1526 und zeichnet sich durch reichen figürlichen Schmuck aus. Braunschweig besaß bis zu seiner Zerstörung im Zweiten Weltkrieg sehr viel Fachwerk.

In 1166 the bronze castle lion at Burgplatz was placed on a high stone pedestal by Duke Henry the Lion as a symbol of his rule and jurisdiction. It was the first German outdoor statue. However, the lion at Burgplatz is a copy. The original is in the Braunschweig State Museum. In our picture, on the left behind the lion, stands the Guildhall. It was relocated here in 1901. The building dates from 1526 and is distinguished by its rich decoration with various figures. Braunschweig possessed a great deal of half-timbered architecture until its destruction in World War II.

C'est le duc Henri le Lion qui fit ériger le lion de bronze sur son haut socle de pierre devant le château. C'était le symbole de son pouvoir et de sa souveraineté judiciaire. C'est la première statue libre de support en Allemagne. A vrai dire, il s'agit d'une copie car l'original se trouve au musée d'Etat de Brunswick. Sur notre photo, à gauche, juste derrière le lion, l'on voit la Gildehaus. Elle fut déplacée et installée ici en 1901. Elle date de 1526 et se distingue par sa riche ornementation figurative. Avant la Deuxième Guerre Mondiale il y avait beaucoup d'édifices à colombages à Brunswick.

Das Altstadtrathaus, in dem sich das städtische Museum befindet, wurde 1302 in der Nachbarschaft der Martinikirche gebaut. Die Martinikirche war etwa hundert Jahre früher errichtet worden. Das Rathaus wurde im 14. Jahrhundert mehrfach ausgebaut und erweitert. Eindrucksvoll sind die Marktfassaden. Nicht weit vom Rathaus und Martinikirche steht das Gewandhaus, das Gildehaus der Tuchmacher, das zuerst 1303 genannt wurde. In ihm wurde schon 1329 Wein gelagert. Heute ist es Industrie- und Handelskammer.

The Old Town Hall, in which the Municipal Museum is located, was built near the Martini Church in 1302. The Martini Church was constructed around a hundred years earlier. The Town Hall was expanded several times in the 14th century. The market facade is impressive. Not far from the Town Hall and the Martini Church you will find "Gewandhaus" (Garment House), the guildhall of the clothmakers, which was first mentioned in 1303. Wine was stored there back in 1329. Today it is the Chamber of Industry and Commerce.

L'Hôtel de Ville de la Vieille Ville qui accueille le musée municipal, fut construit en 1302 à proximité de la Martinikirche. Celle-ci fut construite environ un siècle plus tôt. L'hôtel de ville fut transformé et agrandi plusieurs fois au 14e siècle. Les façades du marché sont impression-nantes. A peu de distance de l'hôtel de ville et de la Martinikirche se dresse la Gewandhaus – la maison de guilde des drapiers. Elle fut mentionnée pour la première fois en 1303. Déjà en 1329 l'on y entreposait du vin. C'est aujourd'hui la Chambre du Commerce et de l'Industrie.

432
178 12
171
262
178 12
585

Der Dom St. Blasii wurde 1227 geweiht. In ihm befindet sich das Grabmal Heinrichs des Löwen und seiner Frau, der Herzogin Mathilde. Zu den Schätzen des Domes gehören ein mächtiger, siebenarmiger Leuchter, den Heinrich selbst in Auftrag gegeben haben soll, sowie das „Imervardkreuz".

Kaiser Lothar von Süpplingenburg gilt als Gründer von Königslutter. Lothar stiftet 1135 unweit der Lutterquelle eine Benediktinerabtei und legte den Grundstein für den Bau der Stiftskirche, die heute Kaiserdom genannt wird. Um die Abtei herum entwickelte sich eine Siedlung von Kaufleuten, Handwerkern und Bauern – eine gemütliche Ackerbürgerstadt, die noch heute mittelalterlich geprägt ist. Viele Fachwerkbauten stammen aus der Zeit nach dem Dreißigjährigen Krieg (1618-1648).

St. Blasii cathedral was consecrated in 1227. It contains the tomb of Henry the Lion and his wife, Duchess Mathilde. The massive candelabra with seven branches, said to have been ordered by Heinrich himself, and the "Imervardkreuz" are cathedral treasures.

Kaiser Lothar von Süpplingenburg is considered to be the founder of Königslutter. Lothar established a Benedictine abbey not far from the Lutter springs in 1135 and laid the foundation stone for construction of the collegiate church that is called the Imperial Cathedral today. A settlement of merchants, craftsmen and farmers developed around the abbey – a cozy rural town that still displays a medieval character today. Many of the half-timbered edifices date from the period after the Thirty Years' War (1618 - 1648).

La cathédrale St. Blasii fut consacrée en 1227. Elle abrite les tombes d'Henri le Lion et de son épouse la duchesse Mathilde. Parmi les trésors de la cathédrale mentionnons le puissant candélabre à sept branches qui aurait été confectionné à la demande d'Henri de méme que la „Croix d'Imervard".

L'empereur Lothar von Süpplingenburg est considéré comme le fondateur de Königslutter. Lothar fonda en 1135, à proximité des sources de Lutter une abbaye de Bénédictins et posa la première pierre de l'église que l'on appelle aujourd'hui Kaiserdom. Autour de l'abbaye se développa une colonie de marchands, d'artisans et de paysans – une agréable ville ruale qui a conservé son charme intime et médiéval. De nombreux édifices à colombages datent de la période qui suivit la guerre de Trente Ans (1618-1648).

Etwa 600 Bauwerke stehen in Helmstedt unter Denkmalschutz. Die weit über 1.000 Jahre alte Stadt besaß lange Zeit eine berühmte Universität, deren Gebäude noch heute das Stadtbild prägen. Besonders schön ist das prächtig geschmückte Juleum. Im früheren Kloster Marienberg befindet sich eine Paramentenwerkstatt, in der – traditionell in Handarbeit – kostbare Stoffe für liturgische Zwecke hergestellt werden.

Around 600 structures in Helmstedt are protected as historical monuments. The city, which is over 1000 years old, long possessed a famous university, whose buildings still form a major element of the city's architecture. The magnificently ornamented Juleum is particularly beautiful. The former Marienberg convent contains a parament workshop in which valuable fabrics are produced for liturgical purposes by means of traditional needlework.

A Helmstedt environ 600 édifices sont classés monuments historiques. Cette ville qui a plus de mille ans, eut pendant longtemps une université célèbre dont les édifices sont encore importants de nos jours pour l'aspect de la ville. le Juleum dont l'ornementation est magnifique, est particulièrement beau. Dans l'ancien couvent de Marienberg se trouve un atelier dans lequel l'on confectionne à la main et selon des procédés traditionnels, des étoffes précieuse utilisées dans la liturgie.

Schöningen, 1000jährige Salzstadt am Elm, in der Nähe von Schöppenstedt, dessen Bewohner sich durch allerlei Streiche in die Geschichte eingeschmuggelt haben, gehört zu den Schmuckstücken des Braunschweiger Landes. Sehenswert ist besonders die zweitürmige St. Lorenzkirche, deren Geschichte bereits im 12. Jh. beginnt.

Schöningen, a 1000-year-old salt town on the Elm River located not far from Schöppenstedt, whose residents sneaked their way into history with all sorts of pranks, is one of the gems in the Braunschweig region. It is particularly worthwhile visiting the double-tower St. Lorenz Church, whose history starts back in the 12th century.

Schöningen, ville millénaire du sel sur l'Elm et située à peu de distance de Schöppenstedt est passée à l'histoire à cause des maints tours pendables joués par ses habitants. C'est l'un des bijoux du pays de Brunswick. La Lorenzkirche à deux clochers est particulièrement remarquable. Son histoire remonte au 12e siècle.

Die alte Residenzstadt Wolfenbüttel mit ihrem Stadtbild aus dem 16. und 17. Jahrhundert gehört zu den eindrucksvollsten städtebaulichen Leistungen des frühen Absolutismus. Fachwerk prägt das Stadtbild. Es gibt in Wolfenbüttel etwa 500 Fachwerkhäuser, so am Stadtmarkt wo sich das Rathaus und der Herzog-August-Brunnen befinden. Der bronzene Herzog (1903) steht ohne heroische Pose an sein Pferd gelehnt.

The old royal seat of Wolfenbüttel, whose skyline is characterized by 16th and 17th century half-timbered architecture, numbers among the most impressive urban achievements of the early period of absolutism. There are about 500 half-timbered houses in Wolfenbüttel, such as those at Stadtmarkt, where the Town Hall and the Herzog-August Fountain are located. The bronze duke (1903) stands leaning against his horse without any heroic pose.

La vieille ville de résidence de Wolfenbüttel a gardé son aspect des 16 et 17e siècles. C'est l'une des réussites les plus impressionnantes de l'architecture urbaine du début de l'Absolutisme. Les colombages sont caractéristiques de cette ville: à Wolfenbüttel il y a environ 500 maisons à colombages, autour du Stadtmarkt, par exemple, où se trouvent aussi l'hôtel de ville et la fontaine du duc Auguste. La statue de bronze de 1902 le montre s'appuyant à son cheval sans la moindre pose héroïque.

Das Herzogliche Residenzschloß, in dem sich unter anderem das Heimatmuseum befindet, ist aus einer erstmals 1118 genannten Burg hervorgegangen. An dem Schloß, das 300 Jahre Residenz der Herzöge zu Braunschweig und Lüneburg war, ist immer wieder gebaut worden. Seine äußere Erscheinungsform erhielt es im Barock, im 17. und 18. Jahrhundert. Der Schloßturm, eine Art monumentaler Dachreiter, wurde 1614 vollendet.

The Royal Ducal Palace, which houses the museum of local history, among other things, was the product of reconstruction of a castle first mentioned in 1118. The palace, which was 300 years the residence of the dukes of Braunschweig and Lüneburg, has been redesigned several times. It was given its external appearance in the baroque period, in the 17th and 18th century. The palace tower, a kind of monumental ridge turret, was completed in 1614.

Le château des ducs qui accueille, entre autres, le musée des traditions locales fut construit à partir d'une forteresse mentionnée pour la première fois en 1118. Ce château qui fut pendant 300 ans la résidence des ducs de Brunswick et Lüneburg, fut remanié à plusieurs reprises. Son aspect extérieur date des 17 et 18e siècles. La tour, une sorte de lanternon de croisée monumental, fut complétée en 1614.

Auf einem Berg hoch über der Stadt Hornburg liegt die Burg, die von Heinrich dem Löwen an der Stelle einer Vorgängerburg gebaut wurde. Die Burg wurde im Dreißigjährigen Krieg schwer beschädigt, diente noch im 19. Jahrhundert als Steinbruch und wurde 1921 auf mittelalterlichen Mauerresten nach alten Ansichten neu errichtet. Hornburg ist – wie Wolfenbüttel – eine Fachwerkstadt.

The castle that was built by Henry the Lion at the site of a previous castle is perched on a mountain above the town of Hornburg. The castle was severely damaged during the Thirty Years' War, served as a quarry in the 19th century and was rebuilt on the remains of medieval walls according to old drawings in 1921. Hornburg, like Wolfenbüttel, is a town of half-timbered architecture.

La forteresse d'Henri le Lion se dresse sur une montagne au-dessus de la ville de Hornburg. Elle succédait à une construction plus ancienne. Elle fut gravement endommagée pendant la guerre de Trente Ans et servait encore de carrière au 19e siècle. En 1921 elle fut reconstruite à partir des vestiges médiévaux et d'après de vieilles illustrations. Hornburg est, tout comme Wolfenbüttel, une ville de colombages.

Der Name Salzgitter verbindet sich mit einem industriellen Ballungszentrum. Dabei ist die Stadt keine Großstadt im herkömmlichen Sinne, sondern eine Stadtlandschaft aus vielen Ortschaften. Eines der schönsten Flecken in Salzgitter ist das gemütliche Fachwerkstädtchen Salzgitter-Bad, deren Saline im 16. Jahrhundert unter anderem ein Gradierwerk erhielt.

The name Salzgitter is associated with an industrial agglomeration, even though the town is not a big city in the conventional sense, but an urban landscape composed of many small towns. One of the loveliest places in Salzgitter is the cozy half-timbered town of Salzgitter-Bad, whose salt works received a graduation plant in the 16th century.

Le nom de Salzgitter évoque une conurbation industrielle. Pourtant il ne s'agit pas d'une métropole au sens habituel du terme mais d'un paysage urbain réunissant de nombreuses localités. L'un des endroits les plus beaux de Salzgitter est la charmante petite ville à colombages de Salzgitter-Bad dont les salines furent dotées, au 16e siècle, entre autres, d'un bâtiment de graduation.

Der Salzgittersee bietet sich mit seinen Stränden als sommerlicher Treffpunkt an – und das nicht nur für die Menschen, die in den Wohnsiedlungen Salzgitters leben, sondern auch für auswärtige Besucher. An dem künstlichen See, der 75 Hektar groß ist, gibt es nicht nur Badestrände. Man kann dort auch Wassersport betreiben. Außerdem gibt es am Salzgittersee eine Eissporthalle.

Salzgitter Lake and its beaches are a summer meeting place - not only for the people who live in Salzgitter's residential communities, but also for visitors from other towns. The artificial lake, which covers an area of 75 hectares, offers more than beaches for swimming. Other aquatic sports are also possible there. In addition, there is a skating rink at Salzgitter Lake.

L'été, les plages du lac de Salzgitter attirent beaucoup de monde. Il ne s'agit pas uniquement des habitants des grands ensembles de Salzgitter, mais de vacanciers venant aussi de l'extérieur. Ce lac artificiel mesure 75 ha. On peut s'y baigner de même qu'y pratiquer les sports aquatiques. Près du lac il y a même une patinoire artificielle.

Zu den Wahrzeichen des Städtischen Museums in Salzgitter gehört nicht nur eine Mühle. Zum Museum gehört das Renaissanceschloß Salder, das zu Beginn des 17. Jahrhunderts gebaut wurde und herzoglicher Witwensitz war. Das Museum, das einen Blick vermittelt auf das, was die Region ausmacht, besitzt eine volkskundliche Sammlung von landwirtschaftlichen und industriellen Großgeräten.

The landmarks of the Municipal Museum in Salzgitter include not just a mill. The Salder Renaissance palace, which was built at the beginning of the 17th century and was a ducal seat for widows, is also part of the museum. The museum offers a look at the features that characterize the region and possesses a folkloristic collection of heavy-duty agricultural and industrial equipment.

Le moulin n'est pas le seul édifice caractéristique du musée de Salzgitter. Le château Renaissance de Salder, construit au début du 17e siècle et résidence des veuves des ducs constitue une autre partie du musée. Il est dédié à cette région et à ce qui en fait son originalité. Il présente une collection d'utensiles agricoles et industriels de grand format.

Wo man den Harz ahnen kann

Bei Hildesheim kann man bereits den Harz ahnen. Hildesheim, im Jahre 815 gegründet, erhielt 872 die erste Domkirche. Die Legende erzählt, daß sie an einem Rosenstrauch gebaut wurde, in dem man ein verloren geglaubtes Reliquiar wiedergefunden hatte. Der 1000jährige Rosenstock blüht noch heute. Selbst der Zweite Weltkrieg hat ihm nichts anhaben können, obwohl die mittelalterliche Stadt fast völlig zerstört worden war.

Inzwischen hat man vieles wieder aufgebaut: Rathaus, Templerhaus mit gotischer Fassade und Renaissance-Erker, die Stadtschänke und das einst schönste Fachwerkhaus, das Knochenhaueramtshaus aus dem Jahre 1529.

Around Hildesheim one gets a feeling for the Harz region. Established in 815, Hildesheim received the first cathedral in 872. According to legend, it was built next to a rose bush in which a relic thought to be lost had been rediscovered. The rose bush still blossoms today. Even the Second World War was not able to do it any harm, although the medieval city had been almost completely destroyed. Much has been rebuilt in the meantime: Town Hall, Templar building with Gothic facade and Renaissance bay, "Stadtschänke" and what was

once the most beautiful half-timbered
edifice, the guildhall building of the
butchers dating from 1529.

Dans la région d'Hildesheim l'on
pressent déjà le Harz. Hildesheim fut
fondée en 815 et sa première cathédrale date de 972. La légende raconte
qu'elle fut contruite près d'un buisson
de roses dans lequel on avait retrouvé
un reliquaire que l'on croyait perdu.

Ce rosier fleurit encore aujourd'hui.
Même la Deuxième Guerre Mondiale
n'a pu lui causer le moindre dommage
bien que la ville médiévale ait été
presque totalement détruite. Depuis
lors, on a reconstruit beaucoup
d'édifices: l'hôtel de ville, la maison
des Templiers avec sa façade gothique
et sa pièce en saillie Renaissance, la
Stadtschänke et la maison à colombages jadis la plus belle de la ville, la
Knochenhaueramtshaus de 1529.

Schloß Söder wurde im 18. Jahrhundert von dem Hildesheimer Fürstbischof Johann Friedrich Moritz v. Brabeck als Wasserschloß angelegt. Es wurde mehrfach umgebaut. Der Hof mit dem Springbrunnenbecken entstand zu Beginn des 20. Jahrhunderts. Söder ist eine großartige Schloßanlage mit einem Herrenhaus, einer Orangerie (1905), einer Gartenterrasse und einem Landschaftspark mit großen Teich.

Schloss Söder was constructed as a castle surrounded by water by Hildesheim Prince-Bishop Johann Friedrich Moritz v. Brabeck in the 18th century. It has been rebuilt several times. The courtyard with the fountain basin was created at the beginning of the 20th century. Söder is a magnificent palace complex with a manor, an orangery (1905), a garden terrace and a landscape park with a large pond.

Le château de Söder fut construit au 18e siècle par le prince-évêque d'Hildesheim Johann Moritz v. Brabeck. Le château à douves d'origine fut remanié plusieurs fois. La cour et le bassin au jet d'eau datent du début du 20e siècle. Söder est un magnifique complexe qui comprend une demeure seigneuriale, une orangerie (1905), une terrasse, un parc paysager et un grand étang.

Das Rathaus am Marktplatz in Alfeld an der Leine, das im Jahre 1586 gebaut wurde und einen markanten Turm an der Schaufront besitzt, zeigt die typischen Schmuckformen der Weserrenaissance. Aber das Rathaus ist nicht die einzige Sehenswürdigkeit der Stadt. Interessant sind die gotische St. Nikolai-Kirche (1486) und die ehemalige Lateinschule (um 1600), heute Heimatmuseum.

The Town Hall at Marktplatz in Alfeld an der Leine was built in 1586 with a striking tower on the decorative front and displays the typical ornamental forms of the Weser Renaissance period. However, the Town Hall is not the only sight worth seeing in the town. Also of interest are the Gothic St. Nikolai Church (1486) and the former Latin School (around 1600), now the museum of local history.

L'hôtel de ville sur la place du Marché d'Alfeld sur la Leine fut construit en 1586. La tour de la façade principale est marquante et il présente une ornementation typique de la Renaissance de la Weser. L'hôtel de ville n'est pas la seule curiosité de la ville. La Nikolai-Kirche (1486) et l'ancienne Lateinschule (vers 1600), aujourd'hui musée des taditions locales, sont intéressantes elle aussi .

Das ehemalige Benediktinerkloster
St. Hadriani und Dionysii in
Lamspringe im Hildesheimer Land
soll bereits 873 angelegt worden sein.
Doch mit dem Ende des 14. Jahrhunderts verödete das Kloster. Im
17. Jahrhundert allerdings wurde es
neu gegründet und entwickelte sich
so erfolgreich, daß es Ende des
18. Jahrhunderts zu den wohlha-
bendsten Klöstern im Hochstift
Hildesheim zählte. Sehenswert ist vor
allem die Kirche (Baubeginn 1670)
mit ihrer reichen Ausstattung.

The former Benedictine monastery St.
Hadriani and Dionysii in Lamspringe
in the Hildesheim region is said to
have been established back in 873.
However, at the end of the 14th
century the monastery deteriorated.
Then in the 17th century it was
reestablished and developed so
successfully that it numbered among
the wealthiest monasteries in the
Hildesheim diocese. Of particular
interest is the church (beginning of
construction in 1670) with its rich
furnishings.

L'ancien monastère des Bénédictins
St. Hadriani et Dionysii à Lamspringe,
dans le pays d'Hildesheim, aurait été
fondé dès 873 mais il tomba à
l'abandon à la fin du 14e siècle. Au
17e siècle, cependant, il fut fondé
une nouvelle fois et prospéra au
point de devenir, à la fin du 18e
siècle, l'un des monastères les plus
riches de l'évêché d'Hildesheim.
L'église (commencée en 1670) au
riche mobilier, est particulièrement
remarquable.

Besonders schöne Fachwerkhäuser stehen am Markt in Bad Gandersheim, jedoch der Name der Stadt ist verbunden mit der bedeutenden Dichterin Hroswitha von Gandersheim, die im 10. Jahrhundert in dem Domstift lebte. Kunstfreunde werden sich für die Münsterkirche interessieren, die in ihren Anfängen aus dem 9. Jahrhundert stammt und mit ihren achtseitigen Türmen und dem hohen Glockenhaus unverwechselbar ist. Im Rathaus, das nach dem Stadtbrand von 1580 gebaut wurde, befindet sich das Heimatmuseum.

Very lovely half-timbered houses can be seen at the marketplace in Bad Gandersheim. The name of the city is connected with a major poetess, Hroswitha von Gandersheim, who lived in the home for ladies in the 10th century. Art lovers will be interested in the cathedral, whose origins date back to the 9th century and which is unmistakable with its octagonal towers and the high belfry. The museum of local history is located in the Town Hall, which was built after the city fire in 1580.

La place du Marché de Bad Gandersheim présente des maisons à colombages d'une grande beauté. Pourtant le nom de la ville évoque surtout la remarquable poétesse Hroswitha von Gandersheim qui vécut au 10e siècle dans la congrégation de femmes. Les amis de l'art ne manqueront pas d'apprécier la cathédrale qui remonte au 9e siècle et qui, avec ses tours octogonales et son haut clocher, ne peut être confondue avec aucune autre. L'hôtel de ville, construit après l'incendie de 1580, accueille le musée des traditions locales.

Wahrzeichen der Stadt Einbeck ist das dreitürmige Rathaus, das im 16. Jahrhundert, nach zwei großen Stadtbränden, erbaut wurde. In seiner Nachbarschaft steht die Marktkirche (1500) mit ihrem 65 Meter hohen Turm. Einbeck war im Mittelalter eine weltbekannte Bierstadt. Daran erinnert eine Plastik vor dem Rathaus: Eulenspiegel als Brauknecht. Natürlich hat sich Eulenspiegel als Brauknecht nicht besonders hervorgetan. Er hat einen Hund, der Hopf hieß, als Hopfen gesotten.

The three-tower Town Hall, which was constructed in the 16th century after two great city fires, is a landmark of Einbeck. Nearby stands the Market Church (1500) with its 65-meter-high tower. Einbeck was a world-renowned beer-brewing city in the Middle Ages. A sculpture in front of the Town Hall is a reminder of this: Eulenspiegel as a brewery worker. Of course, Eulenspiegel did not distinguish himself as a brewer. He had a dog called Hop that was named after an important ingredient of beer, hops.

L'hôtel de ville d'Einbeck fut construit au 16e siècle après que deux grands incendies eurent ravagé la ville. Avec ses trois tours il est devenue l'emblème de la ville. La Marktkirche (1500) dont le clocher mesure 65 mètres, est située à proximité de celui-ci. Einbeck était, au Moyen Age, une ville connue dans le monde entier pour la bière qu'on y produisait. Une sculpture devant l'hôtel de ville rappelle ceci: Till l'Espiègle en valet de brasserie. Naturellement il ne s'est pas beaucoup distingué en cette qualité. Il fit bouillir son chein „Hopf" à la place du houblon (Hopfen)!

Von dem ehemaligen Benediktiner-kloster St. Blasien in Northeim ist – nach wechselvoller Geschichte – nicht mehr viel zu sehen. Es gibt allerdings noch die sogenannte Lateinschule mit einem massiven und aus gotischer Zeit stammenden Erdgeschoß. Sehenswert in Northeim sind die spätgotische Kirche St. Sixti mit ihrer prächtigen Ausstattung, Reste der Stadtbefestung und viele Bürgerhäuser. Im ehemaligen Hospital St. Spiritus befindet sich im Heimatmuseum eine Sammlung mit mittelalterlicher Kirchenkunst.

After an eventful history, there is not much left to see of the former Benedictine monastery St. Blasien in Northeim. However, the so-called Latin School still exists with its solid ground floor dating from the Gothic period. Other sights worth seeing in Northeim include the late Gothic St. Sixti Church with its magnificent furnishings, remains of the town fortifications and numerous town houses. The former St. Spiritus Hospital houses the museum of local history, which contains a collection of medieval church art.

L'ancien monastère des Bénédictins St. Blasien à Northeim eut une histoire fort mouvementée et il n'en reste que peu de choses. La Lateinschule, cependant, existe encore avec son rez-de-chaussée massif datant de la période gothique. L'église St. Sixti, de style gothique tardif et magnifique-ment meublée, les vestiges des remparts et de nombreuses demeures bourgeoises sont d'autres curiosités de Northeim. L'ancien hôpital St. Spiritus accueille un musée des traditions locales présentant des objets d'art ecclésiastiques.

Begehrtes Ziel der Kaiser, Wanderer und Skiläufer

Goslar ist ein Juwel unter den Städten Niedersachsens. Schon die mittelalterlichen Kaiser zog es nach Goslar wegen des Silberschatzes am Rammelsberg. Kaiser Heinrich II. ließ dort eine Pfalz erbauen, die lange Zeit Mittelpunkt des Reiches war. Die Pfalz wurde 1870 restauriert. Gäste, die heute nach Goslar kommen, sind

Goslar is a gem among Lower Saxony's cities. Even the Kaisers back in the Middle Ages were attracted to Goslar because of the silver treasure at Rammelsberg. Kaiser Heinrich II had an imperial palace built there that for a long time was the center of the empire. The palace was restored in 1870. Guests coming to Goslar today

Goslar est un bijou parmi les villes de Basse-Saxe. les empereurs du Moyen Age étaient déjà attirés vers ces régions par les mines d'argent du Rammelsberg. L'empereur Henri II y fit construire un palais impérial qui fut longtemps le centre de l'empire. Ce palais fut restauré en 1870. Les visiteurs qui viennent aujourd'hui à

überwältigt von dem historischen Bild der Stadt – das Fachwerk am Markt, das „Brusttuch", Zwinger und Breites Tor, das Rathaus mit dem Huldigungssaal oder die Kaiserworth, das ehemalige Gildehaus der Tuchhändler. Goslar ist für Wanderer und Skiläufer das Tor zum Harz.

are overwhelmed by the historical architecture of the city - the half-timbered edifices at the marketplace, "Brusttuch", "Zwinger" and "Breites Tor", the Town Hall with the Homage Room as well as Kaiserworth, the former guildhall of cloth merchants. Goslar is the gateway to the Harz region for hikers and skiers.

Goslar sont stupéfaits par la richesse de l'héritage historique de cette ville – les colombages de la place du marché, le „Brusttuch", le Zwinger et la Breites Tor, l'hôtel de ville et la salle des Hommages ou la Kaiserworth, ancienne maison de guilde des drapiers. Goslar est aussi pour les randonneurs et les skieurs la porte du Harz.

Zu Goslar gehört Hahnenklee mit seiner 1908 errichteten hölzernen Stabkirche, die ohne metallene Nägel oder Schrauben gebaut wurde. Vorbild ist die Kirche im norwegischen Borgund aus dem 12. Jahrhundert. Erholsam ist es in Bad Harzburg, das der Bremer Konsul H. H. Meier entdeckte. Harzburg, in dem auch Bismarck Erholung suchte, war lange eines der großen Heilbäder Deutschlands. Heute ist Bad Harzburg mit seinen Hotels, von denen einige im Schweizer Stil errichtet wurden, mit seinen Grünflächen, seiner Spielbank und mit seiner Wandelhalle ein bißchen ein Geheimtip.

Hahnenklee, with its wooden stave church that was built without any metal nails or screws in 1908, is also part of Goslar. The edifice is modeled after the church in Borgund, Norway, which dates from the 12th century. Bad Harzburg, discovered by Bremen Consul H.H. Meier, offers rest and relaxation. Harzburg, where Bismarck also went for recreation, was for a long time one of Germany's large spas. Today Bad Harzburg, with its hotels, some of which were constructed in Swiss style, its green areas, its casino and its pump room, is a bit of an insider tip.

Hahnenklee fait partie de Goslar. On y trouve la „Stabkirche", une église en bois debout, construite sans un seul clou ou une seule vis de métal en 1908. L'église norvégienne de Borgund du 12e siècle, lui servit de modèle. Bad Harzburg, découverte par le consul brêmois H. H. Meier est un lieu paisible. Harzburg où Bismarck venait lui aussi se reposer, fut longtemps l'une des plus grandes stations balnéaires d'Allemagne. A présent, avec ses hôtels dont certains sont construits dans le style suisse, ses espaces verts, son casino et sa salle des pas perdus, c'est, en quelque sorte, une adresse pour les initiés.

Wenn es geschneit hat, ist es im Harz besonders schön. Nicht nur für Ski-läufer, sondern auch für Wanderer, die an den Flüssen entlang spazieren, an der wildromantischen Oker zum Beispiel, und durch die Wälder streifen.

Nicht weit von Bad Harzburg fließt die Radau, die Mitte des 19. Jahrhunderts umgeleitet wurde, damit sie sich 22 Meter tief über einen Felsen stürzen konnte. In harten Wintern ist der Radau-Wasserfall von märchenhafter Schönheit.

When snow has fallen, the Harz region is especially beautiful. Not only for skiing enthusiasts, but also for hikers who walk along the rivers, along the wild and romantic Oker, for example, and who roam through the forests.

Not far from Bad Harzburg flows the Radau, which was diverted in the mid-19th century so that it could fall over a cliff from a height of 22 meters. In severe winters the Radau Waterfall displays a captivating beauty.

Le Harz est particulièrement beau sous la neige, pour les skieurs mais aussi pour les promeneurs qui marchent le long des rivières, comme l'Oker, sauvage et romantique et parcourent les forêts.

La Radau coule dans les environs de Bad Harzburg. Son cours a été détourné au milieu du 19e siècle pour qu'elle puisse se jeter d'un rocher, haut de 22 mètres. Pendant les hivers, la chute d'eau de la Radau est d'une beauté féerique.

Den eindrucksvollsten Blick zum Brocken hat man von dem Altenauer Ortsteil Torfhaus. Es ist ein Blick, den schon Goethe im Jahre 1777 genossen hat. Torfhaus gehört zu den beliebten Ausflugszielen im Harz. Vor allem Skiläufer finden dort gute Möglichkeiten. Torfhaus liegt im niedersächsischen Nationalpark, der sich zwischen Herzberg, St. Andreasberg, Altenau, Bad Harzburg und Braunlage erstreckt. Er ist etwa 16.000 Hektar groß. In ihm befinden sich unter anderem Nadelholz- und Buchenwälder, Moore und Flüsse.

The most impressive view of Brocken is offered in the Altenau district of Torfhaus. It is a view that Goethe enjoyed back in 1777. Torfhaus numbers among the most popular excursion points in Harz. The skiing conditions there are exceptionally good. Torfhaus is situated in the national park of Lower Saxony that stretches between Herzberg, St. Andreasberg, Altenau, Bad Harzburg and Braunlage. It is around 16,000 hectares large and contains evergreen and beech forests, moors and rivers.

C'est de Torfhaus, un quartier d'Altenau, qu'on a la vue la plus impressionnante sur le Brocken. C'est une vue que déjà Goethe avait admirée en 1777. Torfhaus est l'un des lieux d'excursion favoris du Harz. Les skieurs, en particulier, y trouvent de bonnes facilités. Torfhaus est situé dans le parc national de Basse-Saxe qui s'étend entre Herzberg, St. Andreasberg, Altenau, Bad Harzburg et Braunlage. Il a une superficie de 16.000 ha et l'on y trouve, entre autres, des forêts de conifères et de hêtres, des marécages et des cours d'eau.

Im Winter herrscht Hochbetrieb an den Hängen in und um Braunlage, das ein touristisches Zentrum des Harzes ist. Mit dem Bergbau begann es. Doch bereits im 19. Jahrhundert suchten Kurgäste in Braunlage Erholung. Braunlage ist ein typischer Kurort mit Pensionen und Hotels, mit modernen Häusern und Fachwerk-häusern. Besonders lohnenswert ist ein Spaziergang durch den Kurpark unmittelbar am Zentrum der Stadt. Hausberg von Braunlage ist der Wurmberg (971 Meter) – im Winter ein Skilauf-Paradies.

In winter, bustling activity prevails on the slopes in and around Braunlage, a center for tourists in the Harz region. It all started with mining. However, even in the 19th century spa guests sought rest and relaxation in Braunlage. As a typical spa, Braunlage offers small guest houses and hotels, modern buildings and half-timbered edifices. A walk through Kurpark right in the middle of town is especially worthwhile. Braunlage's home mountain is Wurmberg (971 meters) – a skiing paradise in winter.

L'hiver, il règne une activité intense sur les pentes de Braunlage et des alentours. C'est l'un des centres touristiques du Harz. L'extration minière est à l'origine de la ville mais dès le 19e siècle, les curistes vinrent chercher le repos à Braunlage. C'est un lieu de cure typique avec des pensions, des hôtels, des maisons modernes ou à colombages. Le parc de l'établissement thermal en plein centre de la ville, est particulièrement agréable. La montagne qui domine Braunlage est le Wurmberg (971 mètres) – en hiver c'est un paradis pour les skieurs.

Zu den Sehenswürdigkeiten von Clausthal-Zellerfeld gehört die Holzkirche in Clausthal, die um 1650 gebaut wurde. Es ist die größte Holzkirche in Europa. In ihr befinden sich 2.200 Sitzplätze. Sehenswert in Clausthal und Zellerfeld sind die Bergmannshäuser, Bergbauanlagen, ehemalige Zechenhäuser und das Oberharzer Heimatmuseum mit einem Schaubergwerk.

One of the sights in Clausthal-Zellerfeld is the wooden church in Clausthal that was built around 1650. It is the largest wooden church in Europe, containing 2200 seats. It is also worth viewing the miners' houses, mining facilities, former mining company houses and the Oberharz museum of local history.

Parmi les curiosités de Clausthal-Zellerfeld il faut mentionner l'église de bois de Clausthal qui fut construite vers 1650. C'est la plus grande église de bois d'Europe: elle compte 2.200 places. A Clausthal-Zellerfeld l'on peut voir les maisons des mineurs, les anciennes installations et bâtiments des mines et les procédés d'exploitation minière dans le musée des traditions locales du Haut-Harz.

Bad Grund ist die älteste Oberharzer Bergstadt, in der schon im 15. Jahrhundert Eisenerzbergbau betrieben wurde. Zu den Sehenswürdigkeiten der Stadt gehört die Kirche St. Antonius, ein typischer Harzer Holzbau. Sie wurde 1640 gebaut. Das Fachwerk mußte 1836 erneuert werden. Sehenswert ist auch der Tiefer-Georg-Stollen aus dem 18. Jahrhundert.

In Bad Grund, the oldest mining town in Oberharz, iron ore was mined as early as in the 15th century. The town's sights include St. Antonius Church, a typical wooden structure of the Harz region. It was built in 1640. The half-timbered building had to be restored in 1836. The Tiefer-Georg gallery dating from the 18th century is also worth visiting.

Bad Grund est la plus vieille ville minière du Haut-Harz. L'on y extrayait déjà du fer au 15e siècle. L'église St. Antonius, un édifice de bois typique du Harz, est remarquable. Ses colombages durent être renouvelés en 1836. La galerie de mine Tiefer-Georg du 18e siècle mérite, elle aussi, une visite.

Bedeutende Naturdenkmäler im Harz sind die Höhlen. Besonders eindrucksvoll ist die Iberger Tropfsteinhöhle in Bad Grund. Sie wurde im 16. Jahrhundert entdeckt, als man nach Erz suchte. Die beeindruckendsten Tropfsteine in der Höhle tragen Namen. So gibt es eine „Hand des Riesen", einen „Backofen der Zwerge", eine „Schlange" und eine „Madonna".

The caves in the Harz region are major natural monuments. The Iberg dripstone cave in Bad Grund is an outstanding example. It was discovered in the 16th century when people were looking for ore. The most impressive stalactites and stalagmites in the cave have names. For example, there is a "Giant's Hand", a "Dwarves' Oven", a "Snake" and a "Madonna".

Les grottes du Harz sont des monuments naturels importants. La grotte d'Iberger à Bad Grund est particulièrement impressionnante. On la découvrit au 16e siècle en cherchant du fer. les stalactites et les stalagmites les plus spectaculaires portent des noms tels que: „la main du géant", „le four des nains", „le serpent", ou „la Madone".

Die Stauseen im Harz, darunter Oder- und Okerstausee, sind beliebte Treffpunkte für Wassersportler. Das gilt allerdings nicht für den Sösestausee. Er wird – grad so wie der Grane- und Eckerstausee – nur für die Trinkwasserversorgung genutzt. Hier darf man nur angeln und schauen, was ja auch schön ist, nicht aber baden oder mit einem Boot über den See fahren.

The reservoirs in the Harz region, including the Oder and Oker Reservoirs, are popular meeting places for water sports enthusiasts. However, this does not apply to the Söse Reservoir. It – along with the Grane and Ecker Reservoirs – is utilized only for supplying drinking water. So you can only fish and enjoy the view there, which is also nice, but swimming or boating across the lake are not allowed.

Les lacs artificiels du Harz comme l'Oderstausee ou l'Okerstausee sont très appréciés des amateurs de sports aquatiques. Ceci n'est pas vrai cependant du Sösestausee qui, comme le Granestausee et l'Eckerstausee sont utilisés pour l'approvisionnement en eau potable. On peut seulement y pêcher ou regarder – ce qui est déjà fort agréable – mais la baignade et l'utilisation d'un bateau sont interdites.

Der Turm der Kirche von St. Aegidien, der aus Kalkbruchstein ist, überragt die Altstadt von Osterode, in der viele Fachwerkhäuser aus dem 16. Jahrhundert stehen. Sehenswert in Osterode sind die Stadtfestung (1233), das Rathaus von 1552, Bürgerhäuser und das ehemalige Harzkornmagazin, in dem sich heute die Verwaltung der Stadt befindet.

Die gotische Ruine der Klosterkirche St. Maria von Walkenried ist eine besondere Sehenswürdigkeit. Das Zisterzienserkloster Walkenried östlich von Bad Sachsa, im 12. Jahrhundert gegründet, war im 14./15. Jahrhundert das reichste in Nord- und Mitteldeutschland.

The tower of St. Aegidien Church, made of limestone, overlooks Osterode's Old Town, where there are many half-timbered houses from the 16th century. Other sights worth seeing in Osterode include the town fortifications (1233), the Town Hall dating from 1552, town houses and the former Harz grain store, in which the city administration is located today.

The Gothic ruins of the St. Maria monastery church in Walkenried is a special sight. The Cistercian monastery in Walkenried east of Bad Sachsa, established in the 12th century, was the richest in northern and central Germany in the 14th/15th century.

La tour de l'église St. Aegidien, faite de moellons de calcaire, domine la vieille ville d'Osterode où il y a beaucoup de maisons à colombages du 16e siècle. A Osterode il faut voir aussi les remparts de la ville (1233), l'hôtel de ville de 1552, les maisons de bourgeois et l'ancien „Harzkornmagazin" qui accueille à présent l'administration municipale.

Les ruines de l'église gothique du monastère St. Maria de Walkenried sont particulièrement remarquables. Le monastère cistercien de Walkenried, à l'est de bad Sachsa, fut fondé au 12e siècle. Aux 14 et 15e siècles c'était le plus riche du nord et du centre de l'Allemagne.

Südöstlich des Harzes liegt die „Goldene Mark", das Eichsfeld. Hauptstadt des Untereichsfeldes ist das weit über 1.000 Jahre alte Duderstadt. Das Rathaus der Stadt ist im 16. Jahrhundert gebaut worden. Es ist ein auf einen Massivbau gesetztes Fachwerkhaus. Zusammen mit der zweitürmigen Probsteikirche St. Cyriakus, Dom des Eichsfeldes genannt, und Fachwerkhäusern bildet das Rathaus ein interessantes städtebauliches Ensemble.

Southeast of Harz lies the "Golden Mark", Eichsfeld. The capital of Untereichsfeld is Duderstadt, which is considerably more than 1000 years old. The Town Hall of the city was built in the 16th century. It is a half-timbered edifice placed on a solid substructure. Together with the double-tower St. Cyriakus provost church, called the cathedral of Eichsfeld, and several half-timbered houses, the Town Hall forms an interesting urban ensemble.

Au sud-est du Harz se trouve l'Eichsfeld, la „Marche d'Or". La vieille ville de Duderstadt qui a bien plus de mille ans est la capitale du Bas-Eichsfeld. L'Hôtel de ville fut construit au 16e siècle. C'est une maison à colombages placée sur une base massive. Cet hôtel de ville forme un ensemble intéressant avec les maisons environnantes et l'église St. Cyriakus à deux tours, appelée la cathédrale de l'Eichsfeld.

In Göttingen vor dem Alten Rathaus steht auf dem Marktbrunnen das Gänseliesel. Es ist das „meistgeküßte Mädchen der Welt"; denn nach altem Brauch muß jeder frischgebackene Doktor der schönen jungen Dame einen Kuß geben. Göttingen wurde 1734 Universitätsstadt. In der Universität Georgia Augusta lehrten unter anderem die Brüder Grimm, der Physiker Lichtenberg, der Mathematiker Gauß und auch der Historiker Dahlmann.

"Gänseliesel" stands at the market fountain in front of the Old Town Hall in Göttingen. She is the "most frequently kissed girl in the world", for according to an old custom, every newly qualified doctor has to give the beautiful young woman a kiss. Göttingen became a university city in 1734. The lecturers at the Georgia Augusta University included the brothers Grimm, Lichtenberg, the physicist, Gauss, the mathematician, and Dahlmann, the historian.

La fontaine de Gänseliesel se trouve devant le Vieil Hôtel de Ville de Göttingen. C'est la jeune fille la plus embrassée du monde car, selon une vieille coutume, chaque docteur fraîchement diplômé doit donner un baiser à la belle jeune dame. Göttingen devint une ville universitaire en 1734. Les frères Grimm, le physicien Lichtenberg, le mathématicien Gauß et l'historien Dahlmann y enseignèrent.

Rechts und links der Weser

Die Burg von Adelebsen liegt hoch über dem Schwülmetal, einem kleinen Nebenfluß der Weser. Ein neungeschossiger Wohnturm (um 1350) beherrscht die Anlage, in der man auch deutlich eine Umgestaltung der mittelalterlichen Burg zum Schloß erkennen kann. Erwähnenswert sind die Vorwerke in Adelebsen, so das spätbarocke Hubensackhaus, Fachwerkhäuser im Ort aus dem 18. und 19. Jahrhundert und der jüdische Friedhof mit Gräbern, von denen etliche mehr als hundert Jahre alt sind.

The castle in Adelebsen lies high above the Schwülmetal, a small tributary of the Weser. A nine-story residential tower (around 1350) dominates the complex, in which the transformation of the medieval castle into a palace is still evident. The outlying estates in Adelebsen are also worth seeing, including the late baroque Hubensack House, half-timbered houses in the town that date from the 18th and 19th centuries and the Jewish cemetery with graves that are over a hundred years old in some cases.

Au-dessus du Schwülmetal, un petit affluent de la Weser, se dresse la forteresse d'Adelebsen. Le complexe est dominé par un donjon de neuf étages (vers 1350) qui illustre bien la transition de forteresse médiévale au château. A Adelebsen il faut voir aussi les ouvrages avancés comme la Hubensackhaus de style baroque tardif, les maisons à colombages du bourg datant des 18 et 19e siècles et le cimetière juif avec des tombes dont beaucoup ont plus de cent ans.

Die Stadt Hann. Münden, deren Kern zwischen Werra und Fulda liegt, besitzt reiches Fachwerk. Viele dieser Fachwerk-Bürgerhäuser sind aus dem 14. und 15. Jahrhundert. Die meisten wurden zwischen 1520 und 1800 gebaut. Diese Stadt, in dem auch das Rathaus (erbaut um 1610), als ein hervorragendes Beispiel der Weserrenaissance gilt, und das Welfenschloß (um 1500) sehenswert sind, verglich der Weltreisende Alexander von Humboldt wegen ihrer Schönheit mit Konstantinopel und Rio de Janeiro.

The city of Hann. Münden, whose center is situated between the Werra and Fulda Rivers, has a rich store of half-timbered architecture. Many of these half-timbered town houses date from the 14th and 15th centuries. Most of them were built between 1520 and 1800. Because of its beauty, world traveler Alexander von Humboldt compared this city, whose prominent features include the Town Hall (around 1610), an outstanding example of Weser Renaissance architecture, and the Guelph palace (around 1500), with Constantinople and Rio de Janeiro.

La ville d'Hann. Münden dont le centre se trouve entre la Werra et la Fulda conserve de nombreuses maisons aux riches colombages. Certaines d'entre elles datent des 14 et 15e siècles mais elles furent construites, pour la plupart, entre 1520 et 1800. L'hôtel de ville (vers 1610) est un exemple magnifique de la Renaissance de la Weser et le château des Guelfes est, lui aussi, remarquable (vers 1500). Hann. Münden fut comparée, pour sa beauté, à Constantinople et Rio de Janeiro par le grand voyageur Alexandre de Humboldt.

„ Wo Werra sich und Fulda küssen / Sie ihren Namen büßen müssen. . ." – In Hann. Münden beginnt die Weser, die sich in vielen Windungen bis zur Nordsee 440 Kilometer durchs Land schlängelt. In Münden hat der Doktor Johannes Andreas Eisenbarth der sich Heilkünstler nannte, gelebt und gewirkt, in dem er die Leut' auf seine Art kurierte. Er ist am 11. November 1727 in Münden gestorben. Sein Grabstein steht an der St. Aegidien-Kirche. Die beiden folgenden Seiten zeigen Weserfähren, erzählen von den vielen Möglichkeiten, Wassersport auf der Weser zu treiben oder sich von einem Schiff der weißen Flotte spazieren fahren zu lassen.

"Where Werra and Fulda kiss each other / And lose their names to yet another…" The Weser, which winds its way 440 kilometers through the countryside to the North Sea, begins in Hann. Münden. Doctor Johannes Andreas Eisenbarth, who called himself a healing artist, curing people in his own way, lived and worked in Münden. He died there on November 11, 1727. His gravestone can be found at the St. Aegidien Church. The two following pages depict Weser ferries and describe ways of indulging in aquatic sports on the Weser or taking a ride on one of the vessels of the white fleet.

"Là où la Werra et la Fulda s'embrassent, elles doivent abandonner leur nom..." La Weser commence à Hann. Münden. Avant de se jeter dans la mer du Nord elle, parcourt, de ses nombreux méandres, 440 kilomètres. C'est à Münden que le docteur Johannes Andreas Eisenbarth vécut et exerça. Il se qualifiait lui-même d'"artiste guérisseur" et soignait les gens à sa façon. Il mourut à Münden le 11 novembre 1727. Sa tombe se trouve près de l'église St.Aegidien. Les deux pages suivantes nous montre des ferries de la Weser, nous parle de sports aquatiques ou d'excursions, au fil de l'eau, dans les bateaux de la flotte blanche.

In diesem Hause
wirkte und starb
Doktor Eisenbarth.

Er war anders
als sein Ruf.

Eine der ersten Stationen an der Weser, nach Hann. Münden, ist Bodenfelde, das in einer großen Flußbiegung und umgeben von Wald und Bergen liegt. Erkennungszeichen von Bodenfelde ist die Kirche mit ihrem mittelalterlichen quadratischen Turm aus Bruchsandstein und ihren verschieferten Turmaufsatz. Einer der Treffpunkte des Ortes, der – wie fast alle an der Oberweser – an der Deutschen Märchenstraße liegt, sind die Anlagen an der Weser.

One of the first stops on the Weser along the way to Hann. Münden is Bodenfelde, situated in a large bend of the river and surrounded by woods and mountains. Bodenfelde's landmark is the church with its square medieval tower made of sandstone and the slate crown of the tower. The waterfront facilities are one of the meeting places in the town, which, like nearly all the places on the Upper Weser - is located on the German fairy tale route.

L'une des premières stations sur la Weser après Hann.Münden est Bodenfelde, ville située dans une grosse boucle du fleuve et entourée de forêts et de montagnes. Le signe distinctif de Bodenfelde est son église avec son clocher médiéval fait de moellons de grès dont la partie supérieure est recouverte d'ardoise. Les gens d'ici apprécient beaucoup les espaces verts du bord de la Weser. Bodenfelde, comme presque toutes les villes de la haute vallée de la Weser est située sur la "Route Allemande des Contes de Fée".

Uslar mit seinem alten Fachwerkrat-
haus, auf dem ein Giebelreiter die Zeit
ansagt, und mit dem Hotel Menzhausen, dessen Fassade uns eindrucksvoll
in die Weserrenaissance führt, liegt im
Solling. Der Solling ist ein plateauar-
tiges Gebiet zwischen Uslar und
Holzminden. Seine Berge scheinen
kaum mehr als Hügel zu sein, und
doch können sich die „Große Blöße"
(528 Meter) und der Moosberg (500
Meter) mit vielen Harzbergen messen.

Uslar with its old half-timbered house,
on which a gable ridge tells the time,
and Hotel Menzhausen, whose
impressive facade takes us back to the
Weser Renaissance, is situated in
Solling, a plateau-like region between
Uslar and Holzminden. Its mountains
appear to us as scarcely more than
hills, though the "Grosse Blösse" (528
meters) and Moosberg (500 meters)
are a match for many Harz mountains.

Uslar avec son vieil hôtel de ville à
colombages sur lequel un lanternon
de croisée indique l'heure et son
hôtel de Menzhausen dont la facade
est un témoin saisissant de la Renaissance de la Weser, est située dans le
Solling. Le Solling est une sorte de
plateau entre Uslar et Holzminden.
Ses montagnes ne semblent guère
plus hautes que des collines. Pourtant la "Große Blöße" (528 mètres) et
le Moosberg (500 mètres) peuvent
soutenir la comparaison avec maintes
montagnes du Harz.

Ein Bummel durch Holzminden, das im Dreißigjährigen Krieg fast völlig zerstört wurde, führt vorüber an stattlichen Fachwerkhäusern, die der Stadt ein unverwechselbares Gesicht geben. Einige Hauptstraßen der planmäßig angelegten Stadt zielen zur Weser hin. Sehenswert sind die Lutherkirche und das Heimatmuseum, in dem unter anderem Keramik- und Glaserzeugnisse aus dem mittleren Oberwesergebiet gezeigt werden.

A stroll through Holzminden, which was almost completely destroyed during the Thirty Years' War, takes you past stately half-timbered houses that lend the town an unmistakable appearance. Some main streets of the city designed according to plan run towards the Weser. The sights worth seeing include the Luther Church and the museum of local history, with exhibits such as ceramic and glass products from the central Upper Weser region.

En se baladant à travers Holzminden qui fut presque complètement détruite pendant la guerre de Trente Ans, on passe devant d'imposantes maisons à colombages qui donnent à la ville une physionomie bien à elle. Quelques-unes des rues principales de cette ville qui fut tracée selon un plan préétabli, mènent à la Weser. Il faut y voir la Lutherkirche et le musée des traditions locales qui présente, entre autres, des objets de céramique et de verre provenant de la région centrale de la haute vallée de la Weser.

Immer wieder erlebt man Natur pur im Wesergebiet – Wälder, Felder, Wildblumenwiesen. Die schönsten Möglichkeiten, das Wesergebiet zu erschließen, sind Fuß- und Radwanderungen. Da kann man lange durch Wiesen gehen, ohne einen Menschen zu treffen, ohne das Geräusch fahrender Automobile zu hören. Dafür aber hört man das Gesumm der Bienen im Blumenmeer. Übrigens, es gibt einen sehr guten Radwanderweg entlang der Weser.

Everywhere in the Weser region you can experience pure nature - forests, fields, meadows of wild flowers. The most scenic ways of discovering the Weser region are hiking and biking tours. There you can walk for miles across meadows without seeing another person, without hearing the sounds of traffic. What you can hear, on the other hand, is the buzzing of bees in a sea of flowers. By the way, there is an excellent bike path along the Weser.

Dans la région de la Weser l'on rencontre continuellement des lieux où la nature a gardé tous ses droits. C'est à pied ou à bicyclette qu'on peut le mieux découvrir cette région. L'on peut alors marcher longtemps dans les prairies sans rencontrer âme qui vive, sans entendre le bruit des autos. Seul le bourdonnement des abeilles est perceptible dans une mer de fleurs. Il y a d'ailleurs une très bonne piste cyclable le long de la Weser.

Einer der bekanntesten Geschichten-
erzähler stammt von der Weser. Es ist
der Freiherr von Münchhausen, allen
bekannt als Lügenbaron, der 1720 bis
1797 lebte. In seinem Schloß in
Bodenwerder erzählte er seinen
Freunden die haarsträubendsten
Abenteuer, die er auf seinen Reisen
erlebt hatte, und an die der
Münchhausenbrunnen erinnert.

One of the most famous story-tellers
comes from the Weser, namely
Freiherr von Münchhausen, who was
known to everyone as the liar baron
and lived from 1720 to 1797. In his
castle in Bodenwerder he used to tell
his friends the hair-raising adventures
which he experienced on his travels
and which the Münchhausen
fountain recalls.

L'un des conteurs d'histoires les plus
célèbres, le baron de Münchhausen,
est originaire de la vallée de la Weser.
Connu de tous sous le nom de
"baron menteur", il vécut de 1720 à
1797. Dans son château de Bodenwerder il racontait des histoires à
vous faire dresser les cheveux sur la
tête qui lui seraient arrivées au cours
de ses voyages et que la fontaine de
Münchhausen rappelle.

Eines der schönsten und bekanntesten deutschen Heilbäder ist Bad Pyrmont, das gegen Ende des 19. Jahrhunderts zum Weltbad avancierte. Einzigartig ist der Palmengarten. Die Heilquellen waren bereits vor 2000 Jahren bekannt. Sie wurden von den Germanen als „Hylliger Born" verehrt.

One of the most beautiful and well-known German spas is Bad Pyrmont, which attained international repute towards the end of the 19th century. The palm garden is unique. The healing springs were known as early as 2000 years ago. They were venerated by the Teutons as "Hylliger Born" (holy springs).

Bad Pyrmont est l'une des stations balnéaires les plus connues. A la fin du 19e siècle elle devint une ville d'eau d'importance mondiale. Le jardin de palmes est unique en son genre. Les sources thermales étaient déjà connues il y a 2000 ans. Elles étaient vénérées par les Germains sous le nom d'"Hylliger Born".

Wenn man von der Weserrenaissance spricht, kann man an der reizvollen Rattenfängerstadt Hameln nicht vorbeigehen. Weithin bekannt sind das Rattenfängerhaus (links) und das Hochzeitshaus. Beide stehen in der Osterstraße. Darüber hinaus ist Hameln aber auch für seine vielen historischen Fachwerkbauten aus dem 16. bis 18. Jahrhundert bekannt. Nicht weit von der Weser entfernt steht die sehenswerte Münsterkirche St. Bonifatius (13. Jahrhundert).

When people talk about the Weser Renaissance, the Pied Piper city of Hamlin cannot be left out. The Pied Piper House (left) and the Hochzeitshaus (Wedding House) are known far and wide. In addition, Hamlin is also known for its numerous half-timbered houses dating from the 16th to 18th century. Not far from the Weser stands the St. Bonifatius cathedral (13th century), which is also worth a visit.

Lorsque l'on mentionne la Renaissance de la Weser, il est impossible d'omettre Hameln, la ville du "preneur de rats". La maison du "preneur de rats" (à gauche) et la Hochzeitshaus (maison des mariages) jouissent d'une grande renommée. Toutes deux sont situées dans l'Osterstraße. Hameln est connu en outre pour ses édifices à colombages des 16 et 18e siècles. La remarquable cathédrale St.Bonifatius (13e siècle) est située à peu de distance de la Weser.

Im 16. Jahrhundert wurde das Schloß zu Bückeburg umgebaut. Es entstand eine barocke Gesamtanlage – eine der frühesten in Deutschland. Der Turm stammt noch aus dem Mittelalter. Bückeburg, das immer noch wie ein Residenzstädtchen wirkt, ist besuchenswert schon wegen der architektonisch ungewöhnlichen Stadtkirche (1610 - 1615), in der Johann Gottfried Herder gepredigt hat, und des Behaglichkeit ausstrahlenden Stadtbildes.

The castle in Bückeburg was rebuilt in the 16th century. The result was a baroque complex, one of the earliest in Germany. The tower dates from the Middle Ages. Bückeburg, which still has the appearance of a small royal seat, is worth a visit just to see the distinguishing architectural features of the Stadtkirche (City Church) from 1610-1615, in which Johann Gottfried Herder delivered sermons, and the sense of coziness radiated by the town.

Le château de Bückeburg fut transformé au 16e siècle. Il en résulta un vaste complexe baroque, l'un des premiers en Allemagne. La tour, cependant, date encore du Moyen Age. Bückeburg qui donne l'impression d'une petite ville de résidence mérite une visite. La Stadtkirche (1610-1615) présente une architecture peu courante et Johann Gottfried Herder y prêcha. Cette ville est empreinte d'une atmosphère de bien-être.

Das Kanonissenstift St. Maria in Obernkirchen soll nach einer Legende durch Ludwig den Frommen gegründet worden sein. Die heutigen Bauten stammen aus dem 16. bis zum 18. Jahrhundert. Reste sind aus dem 13. Jahrhundert. Die Stiftskirche ist eine geräumige spätmittelalterliche Hallenkirche. Von den Kloster-gebäuden sind die Mühle und die alte Zehntscheune erhalten geblieben.

According to a legend, the St. Maria canoness convent in Obernkirchen is supposed to have been founded by Ludwig the Devout. The present-day edifices date from the 16th to the 18th century, though there are also remains from the 13th century. The collegiate church is a spacious late medieval structure. The intact monastery buildings include the mill and the old barn.

Une légende veut que le couvent des Canonisses à Obernkirchen ait été fondé par Louis le Pieux. Les édifices actuels ont été construits du 16 au 18e siècle. Il reste quelques vestiges du 13e siècle. L'église est une vaste église halle de la fin du Moyen Age. Parmi les édifices du couvent, le moulin et la grange de la dîme ont été conservés.

Herzstück von Stadthagen ist der Marktplatz, an dem sich einige besonders schöne Beispiele der Stadthäger Architektur befinden – darunter sind bemerkenswerte Fachwerkhäuser, die vornehmlich in den Jahrzehnten nach dem Stadtbrand im Jahre 1554 entstanden sind.
Von Stadthagen gehen wir nach Wunstorf, wo die Stiftskirche St. Cosmas und Damian zu den besonders interessanten Kirchenbauten in dieser Region gehört. Älteste Bauteile der Kirche sind aus dem 11. Jahrhundert. Auch in Wunstorf gibt es etliche schöne Fachwerkhäuser.

The heart of Stadthagen is Marktplatz, where several particularly lovely examples of the town's architecture can be found - including remarkable half-timbered houses that were predominantly built in the decades following the city fire in 1554.
From Stadthagen we go to Wunstorf, whose St. Cosmas and Damian collegiate church numbers among the most interesting church edifices in this region. The oldest structural components of the church date from the 11th century. There are also numerous beautiful half-timbered houses in Wunstorf.

Le coeur de la ville de Stadthagen est la place du Marché. On y trouve quelques exemples d'architecture particulièrement beaux, parmi eux de remarquables maisons à colombages qui furent construite surtout pendant les décennies qui suivirent le grand incendie de la ville de 1554.
De Stadthagen nous allons à Wunstorf où l'église collégiale de St.Cosmas et Damian compte parmi les plus intéressantes de cette région. Les parties les plus vieilles de cette église datent du 11e siècle. A Wunstorf aussi il y a beaucoup de belles maisons à colombages.

Der Bau des Mittellandkanals, dessen Teilstrecke Hannover-Minden im Jahre 1916 zum ersten Male von Schiffen befahren werden konnte, hat die Struktur einiger Orte, die er berührte, verändert. Viele Männer wandten sich von der nicht gerade gut bezahlten Landarbeit ab und heuerten auf Schleppern oder Binnenschiffen an.

The construction of the Midland Canal, whose section from Hanover to Minden first became navigable for ships in 1916, changed the structure of several towns that it touched. Many men turned away from agricultural work, which was not exactly well-paid, and signed up on tugboats or barges.

La construction du canal de Mittel-land dont la section Hanovre-Minden fut mise en service en 1916 a changé la structure de quelques localités qu'il traverse. Beaucoup d'hommes se détounèrent du travail de la terre plutôt mal payé pour s'engager sur les remorqueurs ou les bateaux de la navigation fluviale.

Neustadt am Rübenberge war im 16. und 17. Jahrhundert Residenz der Herzöge von Calenberg. Zu den Sehenswürdigkeiten der Stadt gehören die mittelalterliche Befestigung, die Liebfrauenkirche und das einstige Residenzschloß Landestrost, dessen Bau im Jahre 1573 begann. Es wurde 1985 bis 1990 restauriert.

Neustadt am Rübenberge was the royal seat of the dukes von Calenberg in the 16th and 17th century. The town's sights include the medieval fortifications, Liebfrauenkirche and the former residential castle, Landestrost, whose construction began in 1573. It was restored from 1985 to 1990.

Neustadt am Rübenberge était, aux 16 et 17e siècles, la résidence des ducs de Calenberg. Elle présente plusieurs points d'intérêt: les remparts médiévaux, l'église Liebfrauenkirche et le chateau de Landestrost, ancienne résidence des ducs, commencé en 1573 et restauré de 1985 à 1990.

Im Steinhuder Meer befindet sich auf einer künstlichen Insel das Schloß Wilhelmstein. Es wurde 1761 bis 1767 durch den Grafen Wilhelm I. von Schaumburg-Lippe als Musterfestung mit Militärschule angelegt. Wilhelmstein ist eine sternförmige Schanze mit vier Bastionen und einer Zitadelle. Auf der Schule erhielt Gerhard Scharnhorst das Rüstzeug für seine spätere Tätigkeit im preußischen Heer. Graf Wilhelm besaß auch ein Unterseeboot, das den Namen „Steinhuder Hecht" trug und im Steinhuder Meer erfolgreich operiert haben soll.

Schloss Wilhemstein is situated on an artificial island in Steinhuder Meer. It was built as an exemplary fortress with a military school by Count Wilhelm I von Schaumburg-Lippe between 1761 and 1767. Wilhelmstein is a star-shaped entrenchment with four ramparts and a citadel. Gerhard Scharnhorst received the qualifications for his later position in the Prussian army at the school here. Count Wilhelm also possessed a submarine that was called "Steinhuder Hecht" (Steinhuder Pike) and is said to have operated successfully in Steinhuder Meer.

Le château de Wilhelmstein est situé sur une île du lac de Steinhuder Meer.Il fut construit de 1761 à 1767 par le comte Wilhelm I de Schaumburg-Lippe comme modèle de fortification et comprenait aussi une école militaire. Wilhelmstein est une redoute en forme d'étoile avec quatre bastions et une citadelle. C'est ici que Gerhard Scharnhorst fut formé pour son activité ultérieure dans l'armée prussienne. Le comte Wilhelm possédait aussi un sous-marin qui s'appelait "brochet de Steinhuder" et qui aurait opéré avec succès dans le lac de Steinhuder Meer.

Steinhude am Steinhuder Meer ist eine alte Fischersiedlung, die heute eines der bevorzugten Ziele für Ferienreisende und Ausflügler ist. Die Steinhuder jedenfalls machen es den Gästen unter anderem mit blumengeschmückten Anlagen am Ufer des Sees leicht, zu bleiben und sich wohlzufühlen. Das Meer, in dem Aale, Zander, Barsche und Hechte gefangen werden, ist 29 Quadratkilomer groß und bis zu drei Meter tief. Der Ort selbst ist mehrfach von Bränden heimgesucht worden, zuletzt im 18. Jahrhundert. Die Steinkirche wurde 1854 eingeweiht.

Steinhude at Steinhuder Meer is an old fishing settlement that has become a popular destination for vacationers and excursion visitors today. In any case the people of Steinhude make guests feel welcome through small touches like decorating the facilities on the shore of the lake with flowers. The lake is 29 square kilometers large and up to three meters deep, offering anglers eel, bass, pike and perch. The town itself has been plagued by fires several times, the last one in the 18th century. The stone church was consecrated in 1854.

Steinhude sur le bord du lac de Steinhuder Meer, est une vieille colonie de pêcheurs, aujourd'hui très aimée des voyageurs et des vacanciers. Pour leur agrément les habitants ont aménagé des jardins fleuris sur le bord du lac. Dans ses eaux on pêche des anguilles, des sandres, des perches et des brochets. Il mesure 29 kilomètres carrés et peut avoir jusqu'à trois mètres de profondeur. Le bourg lui-même a été ravagé plusieurs fois par des incendies. Le dernier se produisit au 18e siècle. La Steinkirche fut consacrée en 1854.

Das Jahrhunderte alte ehemalige Zisterzienserkloster St. Maria und Georg in Loccum, in dem 1891 ein Predigerseminar eingerichtet wurde, ist heute ein kulturelles Zentrum in Niedersachsen. Loccum liegt nicht weit von Nienburg entfernt, dessen Rathaus mit seinem Giebelreiter aus der Zeit der frühen Weserrenaissance stammt.

The former Cistercian monastery St. Maria and Georg in Loccum, which is centuries old and where a preacher seminary was established in 1891, is a cultural center in Lower Saxony today. Loccum is not far from Nienburg, whose Town Hall with its gable ridge dates from the early Weser Renaissance period.

Le monatère cistercien séculaire de St. Maria et Georg à Lucum dans lequel un séminaire pour prédicateur fut créé en 1891, est aujourd'hui un centre de culture en Basse-Saxe. Loccum n'est pas loin de Nienburg dont l'hôtel de ville avec son lanternon de croisée, date du début de la Renaissance de la Weser.

Auf Wittekinds Spuren

Schloß und Kloster in Bad Iburg haben eine bewegte Geschichte. Das Schloß steht an einer schon in vorgeschichtlicher Zeit strategisch günstigen Lage. In ihm wurde 1668 Sophie Charlotte geboren, die später die Frau Friedrichs I. von Preußen werden sollte. Das Schloß Charlottenburg in Berlin trägt ihren Namen. Im Rittersaal des Schlosses befindet sich die erste perspektivische Deckenmalerei in Deutschland (1656). Das Kloster, im 11. Jahrhundert gegründet, wurde sehr mächtig und erlebte, nach weniger erfolgreicher Zeit, im 17. Jahrhundert eine neue Blüte.

The castle and the cloister in Bad Iburg have an eventful history. The castle is situated at what was a strategically advantageous location even in prehistoric times. Sophie Charlotte, who was later to become the wife of Friedrich I of Prussia, was born in the castle in 1668. Schloss Charlottenburg in Berlin bears her name. The Rittersaal (Hall of the Knights) contains the first perspective ceiling painting in Germany (1656). The cloister, established in the 11th century, became very powerful and, after a less successful period, underwent a revival in the 17th century.

Le château et le monastère de Bad Iburg ont eu une histoire mouvementée. Le château présentait déjà des avantages stratégiques à la préhistoire. Sophie Charlotte, épouse de Frédéric I, y naquit en 1668. Le château de Charlottenburg, à Berlin, porte son nom. Dans le château, le plafond de la salle des Chevaliers est peint de la première fresque en perspective d'Allemagne (1656). Le monastère, fondé au 11e siècle, devint très puissant. Après une période moins prospère, il connu un nouvel essor au 17e siècle.

Das ehemalige fürstbischöfliche Schloß in Osnabrück, das heute von der Universität genutzt wird, wurde zwischen 1665 und 1681 von dem ersten lutherischen Fürstbischof Ernst August von Braunschweig-Lüneburg erbaut. Osnabrück hat eine sehr alte Geschichte. Es heißt, unweit der Stadt habe die letzte entscheidende Schlacht Karls des Großen gegen den Sachsenherzog Wittekind stattgefunden. Karl jedenfalls gründete in Osnabrück einen Bischofssitz. Später befand sich in der Stadt eine bedeutende Lateinschule. Osnabrück war eine Hansestadt.

The former prince-bishop's castle in Osnabrück, which is used by the university today, was built by the first Lutheran prince-bishop, Ernst August von Braunschweig-Lüneburg, between 1665 and 1681. Osnabrück has a very old history. The last decisive battle between Charlemagne and Saxon Duke Wittekind is said to have taken place not far from the city. In any case, Charlemagne established a diocese in Osnabrück. Later a major school of Latin was located in the city. Osnabrück was also a Hanseatic town.

L'ancien château du prince-évêque à Osnabrück, utilisé à présent par l'université, fut construit de 1665 à 1681 par le premier prince-évêque protestant, Ernst August von Braunschweig-Lüneburg. L'histoire d'Osnabrück est très ancienne. La tradition veut que la dernière bataille décisive de Charlemagne contre le duc saxon Wittekind ait eut lieu à proximité de la ville. De toutes façons, Charlemagne fonda un évêché à Osnabrück et plus tard une importante école latine. Osnabrück faisait partie de la Hanse.

Am Markt von Osnabrück steht das Rathaus (1512), in dem in den Jahren 1643 bis 1648 Verhandlungen zum Abschluß des Westfälischen Friedens stattfanden und damit das Ende des Dreißigjährigen Krieges besiegelt wurde. Den Friedenssaal mit seinem Ratsgestühl von 1554, den geschnitzten Türen und spätgotischen Archivschränken kann man besichtigen. Ein erstes Gotteshaus wurde in Osnabrück 785 geweiht. Der heutige Dom stammt in Resten aus dem 11. Jahrhundert. Er wurde mehrfach umgebaut. Im Innern sollte man sich den prächtigen Domschatz anschauen, der im Diözesanmuseum zu finden ist.

At the old marketplace in Osnabrück stands the Town Hall (1512), in which negotiations for conclusion of the Treaty of Westphalia took place from 1643 to 1648, thus marking the end of the Thirty Years' War. Visitors can view the Friedenssaal (Peace Room) with the council seats dating from 1554, carved doors and late Gothic archive cabinets. The first house of worship in Osnabrück was consecrated in 785. The present cathedral contains remains that date back to the 11th century. It has been rebuilt several times. Visitors should not miss taking a look at the magnificent cathedral treasure which can be found in the Diocesan Museum inside.

L'hôtel de ville d'Osnabrück (1512) se dresse sur la place du Marché. La Paix de Westphalie qui mettait fin à la guerre de Trente Ans y fut négociée de 1643 à 1648. La salle de la Paix avec ses stalles des conseillers de 1554, ses portes sculptées et ses armoires de la fin du gothique, peut être visitée. Une première église fut consacrée à Osnabrück en 785. L'actuelle cathédrale date en partie du 11e siècle. Elle fut remaniée plusieurs fois. Il ne faut pas manquer de voir, à l'intérieur, dans le musée Diocésain, le magnifique trésor de la cathédrale.

Die alte Tuchmacherstadt Bramsche hat sich in den vergangenen Jahrzehnten zu einer ansehnlichen Wohnstadt entwickelt. Sehenswert ist die Martinskirche aus dem 13. Jahrhundert. Unweit von Bramsche, bei Kalkriese, gibt es Spuren, die darauf hinweisen, daß dort im Jahre 9 nach Christi möglicherweise die Varusschlacht stattgefunden hat, in der die Teutonen die Römer besiegten.

Bramsche, the old town of clothmakers, has developed into a stately residential city in recent decades. The Martinskirche, a church dating from the 13th century, is well worth a visit. Not far from Bramsche, near Kalkriese, there is evidence that the battle of Varus, in which the Teutons defeated the Romans, may have taken place there in the year 9 AD.

La vieille ville des drapiers de Bramsche est devenue, au cours des dernières décennies, une ville résidentielle de belle apparence. La Martinskirche du 13e siècle est remarquable. Non loin de Bramsche et près de Kalkriese, l'on a retrouvé les traces de la bataille de Varus dans laquelle les Teutons vainquirent les Romains en l'an 9 de notre ère.

Der Dümmer, ein von Niedermooren umgebener, von der Hunte durch-flossener und bis zu 1,5 Meter tiefer See, ist 16 Quadratkilometer groß. Als Natur- und Landschaftsschutzgebiet ist er ein Paradies für Wasser- und Sumpfvögel. Darüber hinaus aber wird er für Freizeit und Erholung genutzt. In Dümmerlohhausen, zum Beispiel, am Westufer des Sees, befindet sich ein Sportboothafen.

Dümmer, a lake with a depth of up to 1.5 meters that is surrounded by lowland moors and through which the River Hunte flows, covers an area of 16 square kilometers. As a nature reserve and landscape protection area, it is a paradise for aquatic and swamp birds. In addition, it is used for leisure and recreational purposes. In Dümmerlohhausen, for example, on the western shore of the lake, there is a harbor for sports boats.

Le Dümmer est un lac entouré de marécages et alimenté par la Hunte. Il mesure 16 kilomètres carrés et peut atteindre une profondeur de 1,5 mètres. C'est un site protégé et un paradis pour les oiseaux aquatiques. Il est aussi utilisé pour les loisirs et le repos. A Dümmerlohhausen, par exemple, sur la rive ouest du lac, il a y un port pour les bateaux de sport.

Die alte Grafenstadt Diepholz, die im 12. Jahrhundert gegründet und im Dreißigjährigen Krieg hart umkämpft wurde, besitzt etliche interessante Bürgerhäuser, vor allem in der Nähe der klassizistischen St. Nikolai-Kirche (1802-1806) und der ehemaligen Burg (1637), die heute das Amtsgericht beherbergt.

Nicht weit von Diepholz liegt Quakenbrück mit seinen Burgmannshöfen, seinem reichen Fachwerk und der spätgotischen Hohen Pforte. Dieses Tor gehörte einst zur Stadtbefestigung.

Diepholz, the old royal seat for counts that was established in the 12th century and disputed during the Thirty Years' War, possesses a number of interesting town houses, above all near the classical St. Nikolai Church (1802-1806) and the former castle (1637), which houses the district court today.

Not far from Diepholz is Quakenbrück, with its splendid farms, the rich store of half-timbered architecture and the late Gothic Hohe Pforte. This gate was once part of the town fortifications.

La vieille ville des comtes de Diepholz, fondée au 12e siècle et pour laquelle furent livrés de rudes combats pendant la guerre de Trente Ans, conserve de nombreuses et intéressantes maisons surtout à proximité de l'église St. Nikolai, de style classique (1802-1806) et de l'ancienne forteresse (1637) qui accueille à présent le tribunal d'instance.

Quakenbrück est situé à peu de distance de Diepholz. On y trouve des fermes splendides, de riches colombages et la Hohe Pforte, de style gothique tardif. Cette porte faisait jadis partie des remparts.

Südlich von Quakenbrück, in Wulften im Artland, dem Osnabrücker Nordland, steht einer der imposantesten Artland-Höfe. Er fällt nicht nur auf wegen seiner Fassade, sondern auch wegen der Taxus-Hecken, die um das Anwesen herum angelegt worden sind. Solche Taxus-Hecken, oft künstlerisch beschnitten, waren einst der Stolz jedes Bauern beziehungsweise jeder Bäuerin.

South of Quakenbrück, in Wulften in the Artland region, the Osnabrücker Nordland, visitors will find one of the most imposing Artland farms. It is striking not only because of its facade, but also because of the yew hedges that have been planted around the estate. Such yew hedges, often artistically pruned, were once the pride of every farmer.

Au sud de Quakenbrück, à Wulften dans l'Artland – la Osnabrücker Nordland – se trouve l'une des fermes de l'Artland parmi les plus imposantes. Elle se distingue non seulement par sa facade mais aussi par la haie d'ifs qui a été plantée tout autour de la propriété. De telles haies, souvent taillées avec art, faisaient jadis la fierté de tous les paysans, voir de toutes les paysannes.

Wer von Cloppenburg her dem Lauf der Soeste folgt, der erreicht die Thülsfelder Talsperre, eines der schönsten Naturschutzgebiete im Nordwesten. Sie wurde vor mehr als 60 Jahren erbaut, um das Land am Unterlauf der Soeste vor Überflutungen zu schützen. Die Talsperre gleicht einer nordischen Schärenlandschaft und ist Lebensraum für seltene Tiere und Pflanzen.

If you follow the course of the Soeste from Cloppenburg, you will come to the Thülsfeld dam, one of the most beautiful nature reserves in northwest Germany. It was constructed over 60 years ago to protect the region along the lower reaches of the Soeste against floods. The area around the dam resembles a nordic skerry and is the habitat for rare animals and plants.

En partant de Cloppenburg et en suivant le cours de la Soeste on arrive au barrage-réservoir de Thülsfelder, l'un des plus beaux sites protégés du nord-ouest. Il fut construit il y a plus de 60 ans pour protéger les terres du cours inférieur de la Soeste des inondations. On trouve ici un paysage rocheux de type nordique. Des plantes et des animaux rares y vivent.

In Vechta, eine der schönen Städte im Oldenburgischen Münsterland, sollte man sich unter anderem besonders die katholische Propsteikirche ansehen. Bedeutend ist die spätbarocke Ausstattung, zu der unter anderem der Altar gehört. Im Kirchenschatz befinden sich herausragende Goldschmiedearbeiten.

Das Erbwohnhaus „Wehlburg" (1750) ist eine der Kostbarkeiten im Museumsdorf Cloppenburg. Das Museumsdorf ist ein Freilichtmuseum mit eindrucksvollen Bauernhäusern aus dem Nordwesten, mit Mühlen, Werkstätten, Kirche, Friedhof und einer Dorfschule, die den Eindruck erweckt, als sei gerade Pause.

In Vechta, one of the loveliest cities in the Oldenburg Münsterland region, the sights of particular interest include the Catholic provost church. The late baroque furnishings, particularly the altar, are impressive. The church treasure contains outstanding goldsmith work.

The hereditary domicile "Wehlburg" (1750) is one the treasures on view in the Cloppenburg museum village. This village is an open-air museum with impressive farmhouses of northwest Germany, including mills, workshops, church, cemetery and a village school, where visitors have the impression of having arrived during recess.

A Vechta, l'une des plus belles villes du Münsterland oldenbourgeois, il ne faut pas manquer de voir, entre autres, l'église du prieuré catholique. Le mobilier de style baroque tardif, l'autel en particulier, sont remarquables. Le trésor de l'église comporte des travaux d'orfèvrerie d'une qualité exceptionnelle.

La maison d'habitation "Wehlburg" (1750) est l'un des trésors du village-musée de Cloppenburg. Il s'agit d'un musée en plein air avec d'impressionnantes maisons paysannes du nord-ouest de l'Allemagne, des moulins, des ateliers, une église, un cimetière et une école de village où il semble que les enfants viennent de sortir en récréation.

In Wildeshausen, einst Wittekindischer Familienbesitz, gründete der Enkel des Herzog Wittekinds ein geistliches Stift und schenkte ihm im Jahre 850 die Gebeine des heiligen Alexanders aus Rom. Die heutige Pfarrkirche St. Alexander stammt aus dem 12. Jahrhundert, ist ein typisches Bauwerk der Backsteingotik und die einzige Basilika des Oldenburger Landes. In ihrer Nachbarschaft befindet sich das ehemalige Kapitelhaus, ein mittelalterlicher Feldsteinbau. Bemerkenswert in Wildeshausen ist das Rathaus aus dem 15. Jahrhundert.

In Wildeshausen, once part of Wittekind's family property, Duke Wittekind's grandson established an ecclesiastical chapter and donated the relics of St. Alexander from Rome to it in 850. The present-day parish church St. Alexander dates from the 12th century - it is a typical Gothic brick structure and the only basilica in the Oldenburg region. Nearby is the former chapter house, a medieval stone edifice. A striking building in Wildeshausen is the Town Hall dating from the 15th century.

A Wildeshausen, jadis siège de la famille de Wittekind, le petit fils du duc de Wittekind fonda un monastère auquel il fit don, en 850, des ossements de saint Alexandre de Rome. L'église paroissiale actuelle, St.Alexandre, date du 12e siècle. C'est un édifice typique du gothique de brique et la seule basilique du pays d'Oldenbourg. L'ancienne maison du chapitre, un édifice médiéval en pierres erratiques, est située dans son voisinage. L'hôtel de ville de Wildeshausen du 15e siècle, est remarquable.

Das Pestruper Gräberfeld liegt in der „klassischen Quadratmeile der Prähistorie" bei Wildeshausen. Dort befinden sich unter anderem auch das Großsteingrab Große Steine von Kleinenkneten. Das Pestruper Gräberfeld umfaßt mehr als 400 Grabhügel aus der Bronzezeit und aus der beginnenden Eisenzeit. Dazu kommen sechs breite Hügel, die als Verbrennungsplätze dienten. Zwischen den Grabhügeln ziehen sich zwölf parallele, ackerähnliche Wälle. Das Pestruper Gräberfeld ist heute eine reizvolle Heidelandschaft mit einem Schafstall.

The Pestrup burial ground is located in the "classical square mile of prehistory" near Wildeshausen. The graves that can be seen there include a megalithic grave called Grosse Steine from Kleinenkneten. The Pestrup burial ground encompasses more than 400 barrows from the Bronze Age and from the beginning of the Ice Age. In addition, there are six broad mounds that served as cremation sites. Twelve parallel walls run between the barrows. Today the Pestrup burial ground is an attractive heathland with a sheep shed.

Les tombes préhistoriques de Pestrup dans le "mille carré classique de la préhistoire" sont situées près de Wildeshausen. Parmi elles, la tombe mégalithique "Große Steine" de Kleinenkneten. Cet espace préhistorique de Pestrup comprend plus de 400 tumulus de l'âge de bronze et du début de l'âge de fer. On y trouve, en outre, six larges collines qui servaient de lieu de crémation. Entre les tumulus sont tracés douze remblais parallèles qui ressemblent à des champs. De nos jours cet endroit présente un charmant paysage de lande avec une bergerie.

Die Sitte der Großsteingräber, auch Hünengräber genannt, dürfte aus dem Mittelmeerraum über Südwesteuropa auf dem Seeweg nach Nordwestdeutschland gelangt sein. Dieser Totenkult muß auf seine jungsteinzeitlichen Anhänger überwältigend gewirkt haben. Nur so läßt sich die Ausdehnung der Gräber über weite Strecken Westeuropas bis hinauf nach Skandinavien erklären. Viele Großsteingräber befinden sich im Landkreis Oldenburg, darunter die Visbecker Braut.

The custom of making megalithic graves probably came from the Mediterranean region via southwestern Europe by sea to northwest Germany. This cult of the dead must have had an overwhelming effect on its early Stone Age followers. This is the only explanation for the fact that the graves extend across wide sections of western Europe and up to Scandinavia. Many megalithic graves are located in the Oldenburg district, including Visbecker Braut.

L'usage des tombes mégalithiques, appelées aussi ici "tombes des Huns", se serait propagé des régions méditerranéennes vers le sud-ouest de l'Europe, jusqu'au nord-ouest de l'Allemagne par voie de mer. Ce culte des morts avait certainement un rôle extrêmement important pour les populations du néolithique car ces tombes se retrouvent dans de nombreuses parties de l'Europe de l'ouest, jusqu'en Scandinavie. Dans le district d'Oldenbourg il y a de nombreuses tombes mégalithiques, la "Fiancée" de Visbeck, par exemple.

Wo sich die Ems ihren Weg bahnt

Bad Bentheim, Grenzstadt auf den Ausläufern des Teutoburger Waldes, gehört zu den gemütlichen und ruhigen Heilbädern und Ferienorten Niedersachsens. Es heißt, schon zur Zeit der Römer habe es auf dem Bentheimer Sandsteinfelsen eine Burg gegeben. Das heutige mittelalterliche Felsenschloß umfaßt Bauteile aus dem 13. bis zum 19. Jahrhundert.

Bad Bentheim, a border town on the outskirts of the Teutoburger Forest, numbers among the cozy and quiet spas and resorts in Lower Saxony. It is said that back in the time of the Romans there was already a castle perched atop the Bentheim sandstone cliff. The present-day medieval castle encompasses elements from the 13th to 19th centuries.

Bad Bentheim, ville de frontière située à la périphérie de la forêt de Teutobourg, est une station balnéaire et un lieu de vacances au charme intime et paisible.Les rochers calcaires de Bentheim auraient déjà été couronnés d'une forteresse du temps des Romains. Le château médiéval actuel comprend des éléments allant du 13 au 19e siècle.

Das ehemalige Augustiner-Chorherren-kloster Frenswegen in Nordhorn wurde im Jahre 1394 gegründet. Seine geistige Ausstrahlung reichte weit in den niederdeutschen und holländi-schen Raum hinein. Nordhorn, zwischen der Ems und der Grenze nach Holland gelegen, ist mit seinen Einkaufs- und Bummelmöglichkeiten Zentrum des Ferienlandes Grafschaft Bentheim.

The former Frenswegen Augustinian canon monastery in Nordhorn was established in 1394. Its spiritual influence extended deep into the Low German and Dutch regions. Nordhorn, situated between the Ems River and the border to Holland, is a shopping center for the holiday-maker's county of Bentheim.

L'ancien monastère des Augustins de Frenswegen à Nordhorn fut fondé en 1394. Son rayonnement intellectuel s'étendait au loin dans les régions du nord de l'Allemagne et de la Hollande. Nordhorn, située entre l'Ems et la frontière hollandaise, ville idéale pour faire des achats et se balader, est le centre de la région de vacances que constitue le comté de Bentheim.

Lingen, im Jahre 975 erstmals erwähnt, ist heute eine der schönsten Städte der Region. Zentrum der Stadt ist der Markt mit dem historischen Rathaus (1663) und einigen Bürgerhäusern. Unweit vom Rathaus steht das Haus der Kivelinge (1583). Kivelinge sind unverheiratete Bürgersöhne, die einst ihre Heimat retteten und heute alle drei Jahre ein großes Fest feiern.

Lingen, mentioned for the first time in 975, is one of the loveliest towns in the region today. The center of the city is the old marketplace with the historical Town Hall (1663) and several town houses. Not far from the Town Hall stands the house of the "Kivelinge" (1583). "Kivelinge" are unmarried sons of citizens who once saved their home town and now have a large celebration every three years.

Lingen, attestée par un document de 975, est aujourd'hui l'une des plus belles villes de la région. La place du Marché avec son hôtel de ville de 1663 et ses maisons bourgeoises forme le centre de la ville. A peu de distance de l'hôtel de ville on trouve la maison des Kivelinge (1583). Les Kivelinge sont les fils célibataires de familles de la ville. Ils sauvèrent jadis leur pays et célèbrent une grande fête tous les trois ans.

Meppen, gelegen in den Talauen von Ems, Hase und Radde, wurde bereits 780 gegründet. Zu den Sehenswürdigkeiten der Stadt gehört die Schleusenanlage von 1826/28 im Mündungsbereich der Hase in die Ems. Bis heute erhalten ist der mittelalterliche Grundriß des Marktes mit dem Rathaus von 1408, das 200 Jahre später aufgestockt wurde und einen Treppengiebel erhielt.

Meppen, situated in the valley meadows of the Ems, Hase and Radde Rivers, was established back in 780. The sights in the town include the lock facility from 1826/28 near the site where the Hase flows into the Ems. The medieval ground plan of the marketplace has been preserved with the Town Hall dating from 1408, which was later expanded and given a stepped gable.

Meppen, située dans les prairies des vallées de l'Ems, de la Hase et de la Radde, fut fondée dès 780. Les écluses de 1826/28 au confluent de la Hase et de l'Ems comptent parmi les curiosités de la ville. Le plan médiéval de la place du Marché a été conservé jusqu'à nos jours. Il comprend l'hôtel de ville de 1408 auquel l'on ajouta des étages et un pignon en escalier, deux cents ans plus tard.

Zu den kulturhistorischen Besonder-
heiten an der Ems gehört das von
einer Graft umgebene Wasserschloß,
das zwischen 1632 und 1729 erbaut
wurde. Wie es heißt, soll eine frühere
Schloßherrin gelegentlich in Dankern
spuken. Zu Lebzeiten war sie den
Belastungen durch ihre kinderreiche
Familie nicht gewachsen und war
darüber hart und ungerecht gewor-
den. Dankern gehört zu der besuchenswerten Schifferstadt Haren an
der Ems.

One of the special features in terms
of cultural history along the Ems is
Dankern Castle, which is surrounded
by water and was built between 1632
and 1729. A former lady of the castle
is supposed to haunt Dankern
occasionally. During her lifetime she
was not able to cope with the bur-
dens of her large family and became
hard and unjust as a result. Dankern
belongs to the shipping town of
Haren on the Ems, which is also
worth a visit.

Le château à douves de Dankern
(1632-1729) est l'une des attractions
historiques et culturelles de l'Ems. Le
fantôme d'une ancienne châtelaine y
rôderait de temps à autre. De son
vivant elle aurait été accablée par le
fardeau de sa nombreuse famille et
serait devenue dure et injuste. Dankern fait partie de la remarquable
ville de mariniers de Haren sur l'Ems.

Sögel im Hümmling ist ein beliebtes Ausflugsziel allein schon wegen des Jagdschlosses Clemenswerth. Das Schloß wurde um 1740 durch Johann Conrad Schlaun im Auftrage von Clemens August, dem Kurfürsten von Köln, erbaut. Es besteht aus zehn kleinen Gebäuden – Haupthaus, sieben Gäste-Pavillons, einem Küchenpavillon und einer Kapelle mit Kapuzinerkloster. Das Schloß beherbergt das Emsländische Heimat-museum.

Sögel in Hümmling is a popular excursion point for the Clemens-werth hunting lodge adone. The complex was built by Johann Conrad Schlaun around 1740, on behalf of Clemens August, the elector-prince of Cologne. It consists of ten small buildings – the main building, seven guest pavilions, a kitchen pavilion and a chapel with Capuchin monastery. The estate houses the Emsland museum of local history.

Sögel dans le Hümmling est un lieu d'excursions très aimé, ne serait-ce qu'à cause du château de chasse de Clemenswerth qui fut construit vers 1740 par Johann Conrad Schlaun, à la demande de Clemens August, prince-électeur de Cologne. Il est formé de dix petits bâtiments – une maison principale, sept petits pavillons pour les invités, un pavillon pour la cuisine et une chapelle avec un monastère de Capucins. Ce château accueille le musée des traditions locales du pays de l'Ems.

Land am Wasser

Große Passagierschiffe werden weit im Binnenland gebaut: Auf der Meyerwerft in Papenburg, das noch zum Emsland gehört. Nur ein Katzensprung ist es von dort aus ins ostfriesische Westrhauderfehn, wo ein Fehn- und Schiffahrtsmuseum Zeugnisse der entbehrungsreichen Kolonisation der Hochmoorgebiete und der Verbindung der Menschen zur Schiffahrt zeigt.

Large passenger ships are built far inland: at the Meyer shipyard in Papenburg, which is part of Emsland. It is only a stone's throw away from the East Frisian town of Westrhauderfehn, where a flag and shipping museum displays testimonies of the colonization of the moor areas, which brought deprivation, and the relationship between people and shipping.

De gros bateaux de passagers sont construits loin à l'intérieur des terres, comme dans les chantiers de Meyerwerft à Papenburg, ville qui fait encore partie de l'Emsland. De là à Westrhauderfehn, en Frise orientale, il n'y a qu'un saut. Cette ville possède un musée des Marécages et de la Navigation qui présente l'histoire marquée par les privations de la colonisation des tourbières et les liens de la population avec la navigation.

Die Gemeinde Großefehn entstand im Jahre 1972 aus dem Zusammenschluß von vierzehn bis dahin selbständigen Gemeinden. Den Namen Großefehn kennt man seit mehr als 350 Jahren. Das Große Fehn (Fehn = Moor) wurde 1633 erstmals genannt, als mit dem Torfabbau begonnen wurde. Sehenswert sind die Kanäle und die Großefehner Mühlenstraße.

The municipality of Grossefehn was created in 1972 by combining fourteen communities that had previously been independent towns. The name Grossefehn has been known for more than 350 years. Grosse Fehn (the Great Fen) was first mentioned in 1633 when peat-cutting was started. The canals and Grossefehner Mühlenstrasse are well worth seeing.

La localité de Großefehn fut créée en 1972 en réunissant quatorze localités qui avaient été autonomes jusque-là. Le nom de Großefehn est connu depuis plus de 350 ans. La Große Fehn (Fehn=marécage) fut nommée ainsi pour la première fois en 1633 lorsque l'on commença à exploiter la tourbe. Les canaux et la Mühlenstraße de Großefehn méritent une visite.

Wahrzeichen der Stadt Leer, die als das Tor Ostfrieslands gilt, ist das Rathaus aus dem Jahre 1894. Zu den Sehenswürdigkeiten gehören die benachbarte Waage von 1714, der Hafen, das Haus Samson aus dem Frühbarock mit Sammlungen zur bürgerlichen Wohnkultur, die Seeschleuse und das Leda-Sperrwerk.

The landmark of the town of Leer, which is considered to be the gateway to East Frisia, is the Town Hall from 1894. The sights include the adjoining Waage (weighing building) from 1714, the harbor, Haus Samson from the early baroque period with collections pertaining to bourgeois home life, the lock and the Leda dam.

L'édifice distinctif de la ville de Leer est son hôtel de ville qui date de 1894. Cette ville est considérée comme la porte de la Frise orientale. Parmi les autres points d'intérêt mentionnons la "Waage" (balance municipale), la maison Samson du début du baroque avec des collections sur l'art de l'aménagement intérieur et du mobilier, les écluses sur la mer et le barrage de Leda.

Emden war im 16. Jahrhundert die bedeutendste Seehafenstadt Nordeuropas. Heute ist Emden ein wichtiger Automobilumschlagsplatz. Zentrum der Stadt ist das Rathaus, das unmittelbar am Wasser liegt. Der Turm hat eine Aussichtsplattform. Im Rathaus befindet sich die berühmte Rüstkammer.

In the 16th century Emden was the most important seaport in northern Europe. Today it is a major transshipment point for automobiles. The center of the city is the Town Hall, which is situated right on the water. The tower has an observation platform. The Town Hall contains the famous armory.

Emden était, à la fin du 16e siècle, le port de mer le plus important de l'Europe du Nord. De nos jours c'est un port important pour le transbordement des voitures. L'hôtel de ville, situé tout près de l'eau, est le coeur de la ville. A l'intérieur il y a un célèbre cabinet d'armes anciennes. La tour comporte une plate-forme panoramique.

Im Dollart muß ständig Schlick abgesaugt werden. Dafür werden Bagger eingesetzt. Und in Ditzum ist das „Endje van de Welt". Der idyllische Fischerhafen des Ortes ist eine der Sehenswürdigkeiten am Dollart, in dem während einer Sturmkatastrophe die Stadt Torum, 40 Orte und zwei Klöster versanken.

Silt has to be constantly removed from the Dollart by means of dredges. And in Ditzum is the "Endje van de Welt" ("the end of the world"). The idyllic fishing harbor in the town is one of the sights on the Dollart, in which the city of Torum, 40 towns and two monasteries were immersed during a storm disaster.

Il faut constamment aspirer la vase du Dollart. C'est le travail des dragueurs. Ditzum, "la fin du monde", a un idyllique port de pêche sur le Dollart. Ce dernier engloutit, jadis, dans un ras-de-marée, la ville de Torum, quarante bourgs et deux monastères.

An der Einmündung des Knockster Tiefs in den Dollart befindet sich die Knock, das größte Siel- und Schöpfwerk in Europa. Hier stehen die Standbilder zweier Herrscher, die eine große Bedeutung für Ostfriesland hatten: der Große Kurfürst Friedrich Wilhelm von Brandenburg (Bild) und sein Urenkel, Friedrich der Große.

The Knock, the largest sluice and water-raising facility in Europe, is located at the point where Knockster Tief flows into the Dollart. Here stand the statues of two rulers who had great importance for East Frisia: the Grand Prince Friedrich Wilhelm von Brandenburg (picture) and his great-grandson, Frederick the Great.

La Knock, la plus grande machine hydraulique d'Europe, se trouve à l'embouchure du Knockster Tief. A cet endroit, les statues de deux souverains qui eurent une très grande importance pour la Frise orientale, montent la garde: le Grand Electeur de Brandebourg (photo) et son arrière-petit-fils, Frédéric le Grand.

Rysum auf Krummhörn besitzt in der Kirche (15. Jh.), auf der reich mit Faltwerk geschmückten Westempore, die älteste bespielbare Orgel in Nordeuropa. Sie wurde 1457 erbaut. Rysum liegt in einer Orgellandschaft. Zwischen Wilhelmshaven und dem niederländischen Groningen gibt es 300 historische Orgeln.

Rysum on Krummhörn possesses the oldest playable organ in northern Europe, which can be found in the richly decorated west gallery of the church (15th century). It was built in 1457. Rysum is situated in an organ landscape. There are 300 historical organs between Wilhelmshaven and Groningen in the Netherlands.

Rysum sur le Krummhörn possède, dans son église (15e siècle), dans la galerie ouest richement ornée de panneaux pliants, l'orgue le plus vieux d'Europe qui soit encore utilisé. Il fut confectionné en 1457. Rysum est située dans une région d'orgues anciens. Entre Wilhelmshaven et la ville hollandaise de Groningen il y en a trois cents.

Es lohnt sich fast überall in Ostfriesland, die Kirchen zu besuchen. Man
denke nur an die Kirche St. Barbara in
Bagband in der Gemeinde Großefehn.
Bemerkenswert dort sind die spätgotischen Plastiken, so die Madonna im
Strahlenkranz auf einer Mondsichel.
Die Kirche wurde im zweiten Viertel
des 13. Jahrhunderts erbaut.

It is worthwhile visiting the churches
nearly everywhere in East Frisia, such
as St. Barbara in Bagband in the
town of Grossefehn. The late Gothic
sculptures, including the Madonna
surrounded by rays of light on a
crescent moon, are remarkable. The
church was built in the second
quarter of the 13th century.

Les églises méritent d'être visitées
partout en Frise orientale. L'église St.
Barbara à Bagband, dans la localité
de Großefehn, pour n'en citer
qu'une, recèle des sculptures de style
gothique tardif remarquables comme
la Madone entourée de rayons,
debout sur un croissant de lune.
Cette église fut construite dans le
deuxième quart du 13e siècle.

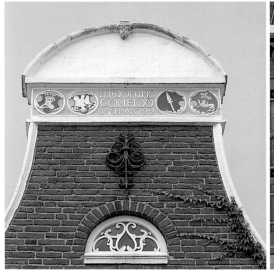

Es sind nicht nur die im Hafen liegenden Krabbenkutter, die Fischerhäuser, das Sieltor und die beiden Windmühlen, die Greetsiel zu einem malerischen Ort machen. Es sind die Kleinigkeiten, hübsche Haustüren, geschmückte Fenster, darunter die typischen „Vörstahn"-Fenster, und die Giebel vieler Häuser, die für ein buntes Ortsbild sorgen.

Not only the shrimp boats at anchor in the harbor, the fisherman's houses, the sluice gate and the two windmills make Greetsiel a picturesque town, but also the little things: lovely front doors, ornamented windows, including the typical "Vörstahn" windows, and the gables of many houses, which create a colorful townscape.

Ce ne sont pas seulement les chalutiers, les maisons de marins, la porte du "Siel" et les deux moulins à vent qui font de Greetsiel un lieu pittoresque. Ce sont aussi les petits détails, de jolies portes et fenêtres – parmi elles les typiques "Vörstahn" – et les pignons de nombreuses maisons qui donnent à ce bourg un aspect riche en couleurs.

Am Ortseingang von Greetsiel grüßen als Wahrzeichen des Ortes die Greetsieler Zwillinge. Es sind Windmühlen, die man auch besichtigen kann. Was man sich darüberhinaus angucken sollte: den idyllischen Fischerhafen und die Kirche von 1401 mit ihrer Schiffswetterfahne (vor 1730). Es ist die älteste Wetterfahne ihrer Art in Niedersachsen.

At the entrance to Greetsiel you are welcomed by the Greetsiel Twins, the landmarks of the town. They are windmills which can be viewed by visitors. Other sights you should not miss: the idyllic fishing harbor and the church dating from 1401 with its ship's weathervane (before 1730). It is the oldest weathervane of its kind in Lower Saxony.

A l'entrée de la localité de Greetsiel, les jumeaux, emblème du lieu, nous accueillent. Ce sont des moulins à vent que l'on peut visiter. Les autres points d'intérêt de ce bourg sont: l'idyllique port de pêche et l'église de 1401 avec sa girouette en forme de bateau (vers 1730). C'est la plus vieille girouette de ce type en Basse-Saxe.

Aurich ist die Hauptstadt von Ostfriesland. Es ist eine wunderschöne Stadt mit vielen historischen Bürgerhäusern und mit einem Schloß aus dem 15. Jahrhundert, das 1851 durch König Georg V. von Hannover ein neues breitgelagertes Gebäude mit einem markanten Mittelturm erhielt.
Die nördlichste ostfriesische Stadt ist das sehenswerte Norden, wo sich unter anderem in der Osterstraße das Haus Schöningh (1576) aus der Renaissance befindet.

Aurich is the capital of East Frisia. It is a lovely city with numerous historical town houses and a castle from the 15th century, which was given a new broadly laid-out building with a striking middle tower by King George V from Hanover in 1851.
The northernmost East Frisian town is Norden, which is worth a visit on account of sights such as Haus Schöningh (1576) in Osterstrasse dating from the Renaissance period.

Aurich est la capitale de la Frise orientale. C'est une ville merveilleuse avec de nombreuses maisons anciennes et un château du 15e siècle auquel le roi Georg V de Hanovre ajouta, en 1851, un nouvel édifice aux amples proportions avec une tour centrale marquante.
La ville la plus septentrionale de Frise est Norden. Elle mérite une visite. On y trouve, entre autres, dans l'Osterstaße, la maison Renaissance Schöningh (1576).

Wenn man in Ostfriesland von Seen spricht, sagt man „Meer". Das Meer ist „die See". Das Ewige Meer befindet sich nordwestlich der Stadt Aurich. Es ist der größte deutsche Hochmoorsee. Die Kirche von Marienhafe ist bekannt als Störtebekerturm. Sie war einer der Schlupfwinkel des Piraten, der 1401 in Hamburg hingerichtet wurde. In Ostfriesland wurde er verehrt. Ein Denkmal erinnert an ihn.

When people in East Frisia talk about lakes, they say "Meer" (which actually means sea or ocean). "Ewige Meer" is located northwest of the city of Aurich. It is the largest moor lake in Germany. The church in Marienhafe is known as Störtebeker Tower. It was one of the hiding places of the pirate who was executed in Hamburg in 1401. He was honored in East Frisia where a monument is dedicated to him.

Lorsque l'on parle de "lac" en Frise orientale on dit "Meer". La mer, c'est "die See". Le lac Ewige Meer se trouve au nord-est de la ville d'Aurich. C'est le plus grand lac de tourbière d' Allemagne. Le clocher de l'église de Marienhafe est connu comme étant la tour de Störtebeker. Elle servit en effet de repère au pirate qui fut exécuté à Hambourg en 1401. En Frise orientale il était vénéré. Un monument à été construit à sa mémoire.

Dünen sind das einzig Charakteristische, das die sieben Ostfriesischen Inseln gemeinsam haben. Im übrigen sind sie sehr unterschiedlich. Die Inseln heißen Borkum, Juist, Norderney, Baltrum, Langeoog, Spiekeroog und Wangerooge. Das älteste deutsche Nordseebad ist Norderney, einst Sommerresidenz der Könige von Hannover.

Dunes are the only feature common to the seven East Frisian islands. Otherwise they are very different. The names of the islands are Borkum, Juist, Norderney, Baltrum, Langeoog, Spiekeroog and Wangerooge. The oldest German North Sea resort is Norderney, once the summer residence of the kings from Hanover.

Les dunes sont la seule caractéristique que les sept îles de Frise orientale ont en commun. Pour le reste elles sont très différentes les unes des autres. Elles se nomment: Borkum, Juist, Norderney, Baltrum, Langeoog, Spiekeroog et Wangerooge. La plus vieille station balnéaire sur la mer du Nord est Norderney, jadis résidence d'été du roi de Hanovre.

Die westlichste Ostfriesen-Insel ist Borkum, die man mit dem Schiff von Emden aus erreichen kann. Borkum ist seit 1830 Nordseebad und hat eine 6,5 Kilometer lange Strandpromenade. Auf der Insel soll der Pirat Störtebeker einen Goldschatz versteckt haben. Viele haben danach gesucht. Vergeblich!

The westernmost East Frisian island is Borkum, which can be reached by ship from Emden. Borkum has been a North Sea resort since 1830 and has a beach promenade that is 6.5 kilometers long. The pirate, Störtebeker, is said to have hidden a gold treasure on the island. Many have looked for it. In vain!

L'île située le plus à l'ouest est Borkum. On peut l'atteindre d'Emden en bateau. Borkum est une station balnéaire depuis 1830. Sa promenade le long de la plage a 6,5 kilomètres. Le pirate Störtebeker aurait caché un trésor sur cette île. Beaucoup l'ont cherché en vain!

Überall in Ostfriesland stehen Burgen, Mühlen und Leuchttürme. Die Burgen sind Häuptlingsburgen. Die Dornumer Norderburg (1400) wurde Ende des 17. Jh. zu einem barocken Wasserschloß umgebaut. Viele Mühlen schmücken das Land unter anderem in Neuharlingersiel, Wittmund, Dornum und Norderney oder als Heimatmuseum in Esens. Leuchttürme stehen an der Küste und auf den Inseln, so auf Wangerooge.

Castles, mills and lighthouses can be found everywhere in East Frisia. The castles used to be the domiciles of the village headmen. Norderburg (1400) in Dornum was rebuilt as a baroque castle surrounded by water at the end of the 17th century. Many mills add decorative touches to the region, such as the ones in Neuharlingersiel, Wittmund, Dornum and Norderney, or the mill in Esens that serves as a museum of local history. Lighthouses stand on the coast and on the islands, on Wangerooge, for example.

Partout en Frise orientale on trouve des forteresses, des moulins et des phares. Ces forteresses étaient aux chefs de clans. Le Norderburg de Dornum (1400) fut transformé à la fin du 17e siècle en un château à douves baroque. Les nombreux moulins, comme ceux de Neuharlingersiel, Wittmund, Dornum et Norderney, égaient le paysage ou servent de musée des traditions régionales, celui d'Esens, par exemple. Les phares ont été construits sur la côte de la terre ferme et sur les îles, comme celle de Wangerooge.

Das Buddelschiffsmuseum ist eines der Attraktionen des Nordseebades Neuharlingersiel. Es liegt unmittelbar am Hafen und nur wenige Schritte vom weiten Sandstrand und vom Schwimmbad des Ortes entfernt. Interessant ist auch das Museum der Deutschen Gesellschaft zur Rettung Schiffbrüchiger.

The Bottle Ship Museum is one of the attractions offered by the North Sea resort Neuharlingersiel. It is located right at the harbor and only a few steps away from the expansive sand beach and from the town's swimming pool. The Museum of the German Society for the Rescue of Shipwrecked Persons is also interesting.

Le Buddelschiffsmuseum est l'une des attractions de la station balnéaire de Neuharlingersiel. Il se trouve tout près du port et à quelques pas de la vaste plage et de la piscine. Le musée de la Société allemande du Sauvetage des Naufragés est intéressant lui aussi.

Einer der schönsten Kutterhäfen an der Nordsee befindet sich in Neuharlingersiel. Noch immer leben in dem Nordseebad viele Menschen vom Fischfang. Es gilt als etwas Besonderes, Neuharlingersieler Fischer zu sein. Das Beste an Neuharlingersiel sind im übrigen die Krabben, die man direkt vom Kutter kaufen kann.

One of the loveliest fishing cutter harbors on the North Sea can be found in Neuharlingersiel. Many people in this North Sea resort still live from fishing. Being a Neuharlingersiel fisherman is considered to be something special. The best thing about the town, by the way, is the shrimp that you can buy directly from the boat.

A Neuharlingersiel se trouve l'un des plus beaux ports de pêche de la mer du Nord. Beaucoup de gens dans cette station balnéaire vivent encore de la pêche. Etre pêcheur, à Neuharlingersiel, passe pour être quelque chose de spécial. Le mieux de tout à Neuharlingersiel, ce sont les crevettes que l'on peut acheter directement des chalutiers.

Hinter den Deichen erstreckt sich ein weites Weideland, und die schnurgerade durchs Land ziehenden Straßen eignen sich zum Boßeln. Boßeln ist ein friesischer Volkssport, der mit einer Kugel betrieben wird. In Ostfriesland gibt es sogar eine Boßel-Oberliga, und auf den Straßen haben die Boßler Vorfahrt vor den Autofahrern, die jedenfalls, sobald sie Boßler gewahr werden, sehr vorsichtig fahren.

An expansive pastureland extends behind the dikes and the roads that run straight as a die through the countryside are well-suited for "Bosseln". "Bosseln" is a popular Frisian sport that is played with a ball. In East Frisia there is even a First League for "Bosseln", and on the roads the "Bosseln" players have the right of way over car drivers, who drive very carefully as soon as they see "Bosseln" players.

Derrière les digues s'étendent de vastes prairies et les routes rectilignes qui les parcourent sont idéales pour jouer au "Boßeln". Il s'agit d'un sport populaire que l'on joue avec une boule. En Frise orientale il y a même une équipe régionale de joueurs de "Boßeln". Les joueurs sont prioritaires sur les routes, les automobilistes, en tous cas, conduisent très prudemment lorsqu'ils remarquent les joueurs.

Die alte Rauchkate beim Schloß in Zetel-Neuenburg ist ein Teil des Neuenburger Freilichtmuseums. In dem Grafenschloß, das im Jahre 1462 von dem Grafen Gerd von Oldenburg als Grenzburg gegen die Friesen erbaut und in der zweiten Hälfte des 16. Jahrhundert zu einem Schloß umgebaut wurde, befindet sich eine heimat- und vogelkundliche Sammlung. Das Schloß ist ein schlichter Backsteinbau.

The old smokehouse near the castle in Zetel-Neuenburg is part of Neunburg's open-air museum. The royal castle, which was built by Count Gerd von Oldenburg as a border fortress against the Frisians in 1462 and was rebuilt into a palace in the second half of the 16th century, contains a local history and ornithological collection. The castle is a simple brick edifice.

Le vieux fumoir, près du château de Zetel-Neuenburg, fait partie du musée en plein air de Neuenburg. Dans le château des comtes, construit en 1462 par le comte Gerd von Oldenburg comme forteresse frontière contre les Frisons et transformée en château dans la deuxième moitié du 16e siècle, l'on trouve des collections sur les traditions locales et l'ornithologie. Le château est un simple édifice de brique .

In Hohenkirchen im Wangerland sollte man sich die Kirche St. Sixtus und St. Sinicius ansehen. Sie ist ein spätromanischer Granitquaderbau aus dem 13. Jahrhundert mit einem hölzernen Dachreiter aus späterer Zeit.

Sehenswert ist die alte Friesenstadt Jever mit ihrem Rathaus (um 1610) und dem Brunnen, Pütten genannt. Auf keinem Fall sollte man einen Besuch im Schloß (15. und 16. Jh.) versäumen. Sehenswert: Der Audienzsaal.

In Hohenkirchen in Wangerland visitors should see the St. Sixtus and St. Sinicius Church. It is a late Romanesque granite stone structure from the 13th century with a wooden ridge turret from a later period.

It is worthwhile visiting the old Frisian town of Jever with its Town Hall (around 1610) and the fountain, called "Pütten". In any case you should not miss a visit to the castle (15th and 16th century) with its marvelous Audience Room.

A Hohenkirchen, dans le Wangerland, il ne faut pas manquer de visiter l'église St.Sixtus et Sinicius. C'est un édifice en pierre de taille, de style roman tardif, datant du 13e siècle, avec un lanternon de croisée plus récent.

La vieille ville frisonne de Jever avec son hôtel de ville (vers 1610) et sa fontaine, appelée Pütten, est remarquable. Il faut absolument visiter le château (15 et 16e siècle), La salle d'audiences en particulier.

Eines der Wahrzeichen von Wilhelmshaven, das als preußischer Kriegshafen im Jahre 1856 gegründet wurde, ist das Rathaus, das in den Jahren 1928/29 in der damals noch selbständigen Stadt Rüstringen von dem namhaften Architekten Fritz Höger erbaut wurde. Rüstringen ging im Jahre 1937 in Wilhelmshaven auf. Wilhelmshaven erhielt seinen Namen nach dem Gründer der Stadt, König Wilhelm I. von Preußen, der 1871 Deutscher Kaiser wurde.

One of the landmarks of Wilhelmshaven, which was established as a Prussian military port in 1856, is the Town Hall, which was built by the renowned architect, Fritz Höger, in 1928/29 in Rüstringen, an independent town at that time. Rüstringen was incorporated into Wilhelmshaven in 1937. Wilhelmshaven got its name from the founder of the city, King Wilhelm I from Prussia, who became the German Kaiser in 1871.

L'hôtel de ville de Wilhelmshaven est l'un des édifices distinctifs de cette ville qui fut fondée en 1856 pour être un port de guerre prussien. Cet hôtel de ville date de 1928/29. Il fut construit dans la ville alors autonome de Rüstringen par l'architecte de renom Fritz Höger. Rüstringen fut incorporée à Wilhelmshaven en 1937. Wilhelmshaven doit son nom au fondateur de la ville le roi Guillaume I de Prusse qui devint empereur des Allemands en 1871.

Varel liegt am Jadebusen und besitzt einen kleinen Hafen. Sehenswert in Varel ist die Schloßkirche St. Petrus (12. Jh.) mit ihrer prächtigen Ausstattung von Ludwig Münstermann. Folgende Seite: Altarretabel von 1614. Zu Varel gehört das Nordseebad Dangast, das zugleich Fischerdorf und Künstlerkolonie ist. Vor dem Ersten Weltkrieg ließen sich dort Maler wie Schmidt-Rottluff und Pechstein nieder. Der Maler Franz Radziwill setzte ihre Arbeit fort.

Varel lies on Jadebusen and has a small harbor. The sights of interest in Varel include the castle church St. Petrus (12th cent.) with its splendid furnishings by Ludwig Münstermann. Following page: altar reredos from 1614.
The North Sea resort of Dangast, which is a fishing village and an artists' colony at the same time, belongs to Varel. Painters, such as Schmidt-Rottluff and Pechstein, settled there before the First World War. Painter Franz Radziwill continued their work.

Varel est située sur le Jadebusen et possède un petit port. Il faut y voir l'église du château St.Petrus (12e siècle) dont le mobilier, dû à Ludwig Münstermann, est magnifique.
Page suivante: le retable d'autel de 1614.
La station balnéaire de Dangast, à la fois ville de pêcheurs et colonie d'artistes fait partie de Varel. Des peintres comme Schmidt-Rottluff et Pechstein s'y installèrent avant la Première Guerre Mondiale. Le peintre Franz Radziwill continue cette tradition.

Zum Aal gibt es einen Löffeltrunk

Wiefelstede im oldenburgischen Ammerland, wo es den guten Schinken gibt und wo zum Aal ein Löffeltrunk serviert wird, ist eines der schönsten Bauerndörfer des Landes. Die Kirche von Wiefelstede wurde als Send- und Mutterkirche im Jahre 1057 von dem Erzbischof Adalbert von Bremen gegründet und Johannes dem Täufer geweiht. Die Kirche wurde im 13. und 15. Jahrhundert umgebaut und erhielt im 15. Jahrhundert einen freistehenden Tor- und Glockenturm.

Wiefelstede in the Oldenburg Ammerland region, where the good ham comes from and where a drink is served in a spoon when eel is eaten, is one of the most beautiful farming villages in the state. The church in Wiefelstede was founded as a mission and mother church by Archbishop Adalbert von Bremen in 1057 and consecrated by John the Baptist. It was rebuilt in the 13th and then in the 15th century and was given a detached gate tower and belfry in the 15th century.

Wiefelstede, située dans l'Ammerland oldenbougeois où il y a du bon jambon et où l'on sert le "Löffeltrunk" avec l'anguille, est l'un des plus beaux villages d'agriculteurs de la région. L'église de Wiefelstede, construite en 1057 par l'archevêque Adalbert de Brême, fut dédiée à saint Jean-Baptiste. C'était une église mère envoyant des missionnaires. Elle fut remaniée aux 13 et 15e siècles. Le clocher détaché date du 15e siècle.

Das Ammerland gilt als Park und Garten des nordwestlichen Niedersachsens. Überall erstrecken sich Azaleenfelder, und viele Häuser verbergen sich hinter Rhododendron-Büschen. Das Ammerland ist auch ein Land der Baumschulen. Einige kann man besichtigen – was sich vor allem während der Rhododendron-Blüte in den Monaten Mai und Juni lohnt.

Ammerland is regarded as the park and garden of northwest Lower Saxony. Everywhere there are stretches of azalea fields and many houses are concealed behind rhododendron bushes. Ammerland is also a region of tree nurseries. Some of them are open to visitors - which is especially worthwhile during the rhododendron blossom in May and June.

L'Ammerland est considéré comme le parc et le jardin du nord-ouest de la Basse-Saxe. Partout s'étendent des champs d'azalées et de nombreuses maisons se cachent derrière des buissons de rhododendrons. Les pépinières sont nombreuses et certaines peuvent être visitées. Faites-le de préférence en mai ou en juin, lorsque les rhododendrons sont en fleur!

Einer der interessantesten Plätze für Kinder ist der Zoo Jaderberg, der sich aus einer Gaststätte entwickelt hat, dessen Besitzer Rehkitze aufzog, die sich an Landmaschinen verletzt hatten. Es gesellten sich Affen hinzu, Papageien und Hyänen. Jetzt ist es ein Erlebnispark mit Fahrgeschäften, Wasservögeln und vielen anderen Tieren.

One of the interesting places for children is the Jaderberg Zoo, which developed out of a tavern whose owner raised fawns that had been injured by agricultural machines. They were joined by monkeys, parrots and hyenas. Now it is an adventure park with amusement rides, waterfowl and many other animals.

Les enfants aiment particulièrement le zoo de Jaderberg. Tout ceci commença lorsque le propriétaire d'un restaurant recueillit des biches qui avaient été blessées par les machines agricoles. Des singes, des perroquets et des hyènes vinrent les rejoindre. A présent c'est un parc d'attraction avec des manèges, des oiseaux aquatiques et beaucoup d'autres animaux.

Bad Zwischenahn am Zwischenahner Meer ist einer der schönsten Badeorte in Niedersachsen. Die Promenade am Meer lädt zum Bummeln ein, und wer Lust hat, kann sich von einem der Passagierschiffe über den See schaukeln lassen. Sehenswert in Bad Zwischenahn ist auch das Freilichtmuseum am Meer. Dort stehen eine Windmühle, ein Bauernhaus, mehrere Nebengebäude und ein Spieker, in dem man deftig speisen kann.

Bad Zwischenahn at Zwischenahner Meer is one the loveliest swimming resorts in Lower Saxony. The promenade on the lake is an inviting spot for a stroll and those who wish can let themselves be rocked back and forth across the lake on one of the passenger ships. It is also worthwhile paying a visit to the open-air museum on the lake in Bad Zwischenahn. The displays include a windmill, a farmhouse, several outbuildings and a storehouse, in which hearty meals are served.

Bad Zwischenahn sur le lac de Zwischenahner Meer est l'une des plus belles stations balnéaires de Basse-Saxe. La promenade au bord du lac invite à flâner et qui le désire pourra faire un tour sur le lac dans les bateaux de passagers. Le musée en plein air "Freilichtmuseum am Meer" mérite une visite. On peut y voir un moulin à vent, une boulangerie, de nombreuses dépendances et un entrepôt où l'on peut consommer de solides nourritures.

Zu den besuchenswerten Orten im Ammerland gehört Rastede, wo schon die Großherzöge von Oldenburg ihren Sommer verbrachten. Das Schloß von Rastede, ein Lustschloß, wurde 1643 von dem Grafen Anton Günther erbaut. Es steht in einem englischen Landschaftspark. Wer in Rastede ist, der sollte aber auch die Kirche St. Ulrich aus dem 15. Jahrhundert besuchen. Zu ihr gehört ein Tor- und Glockenturm.

Another town of interest in Ammerland is Rastede, where the grand dukes from Oldenburg spent their summers. The castle in Rastede, a summer residence, was built by Count Anton Günther in 1643. It is situated in an English landscape park. If you go to Rastede, you should also visit the St. Ulrich Church dating from the 15th century. It includes a gate tower and belfry.

Rastede où déjà les grands-ducs d'Oldenbourg passaient l'été, vaut la peine d'être visitée. Le château de plaisance de Rastede fut construit par le comte Anton Günther. Il est situé dans un jardin paysager à l'anglaise. A Rastede il faut voir aussi l'église St. Ulrich du 15e siècle. Elle a un clocher dont la base est un porche.

Herzöge, Klosterbrüder, Kapitäne

Oldenburg, Residenz der Grafen, Herzöge und Großherzöge von Oldenburg, hat bis heute den Charakter einer Landeshauptstadt nicht verloren. Das Großherzogliche Schloß, das sich aus einer Wasserburg aus dem 12. Jahrhundert entwickelte und im 18. Jahrhundert seine jetzige Gestalt erhielt, ist heute Landesmuseum für Kunst und Kunstgeschichte. Eines der ältesten Gebäude der Stadt ist der Lappan (1467), ein aus Backstein errichteter Turm, der zur Kapelle des Heilig-Geist-Hospitals gehörte.

Oldenburg, royal seat of the counts, dukes and grand dukes von Oldenburg, has not lost its character as a regional capital. Today the castle of the grand dukes, which developed out of a castle surrounded by water dating from the 12th century and was given its present appearance in the 18th century, is the State Museum for Art and Art History. One of the oldest buildings in the city is Lappan (1467), a tower constructed of brick that belonged to the chapel of the Holy Ghost Hospital.

Oldenbourg, résidence des comtes, des ducs et des grands-ducs d'Oldenbourg a gardé , jusqu'à ce jour, le caractère d'une capitale régionale. Le château du grand-duc qui se développa à partir d'un château à douves du 12 e siècle et reçut son apparence actuelle au 18e siècle, accueille aujourd'hui le musée d'Etat pour l'Art et l'Histoire de l'Art. L'un des plus vieux édifices de la ville est le Lappan (1467), une tour de brique qui faisait partie de la chapelle de l'hôspital Heilig-Geist.

Zisterziensermönche kamen 1232 aus der Nähe von Helmstedt nach Hude und gründeten hier mit Unterstützung der Oldenburger Grafen ein Kloster. Es entwickelte sich zu hoher Blüte, kam jedoch 1533 in den Besitz des Bischofs Franz von Waldeck, der das Kloster auflöste und die Gebäude dem Abbruch preisgab. Es blieben Ruinen, die zu den Kostbarkeiten mittelalterlicher Ordensbaukunst auf deutschem Boden gehören.
In Berne an der Weser sollte man sich die Innenausstattung der Kirche St. Aegidius ansehen. Hauptausstattungsstücke: Altarretabel von 1637.

Cistercian monks came to Hude from an area near Helmstedt in 1232 and established a monastery here with support from the Oldenburg dukes. It experienced a golden age before becoming the possession of Bishop Franz von Waldeck in 1533, who dissolved the monastery and had the buildings demolished. All that remained was ruins that number among the treasures of the medieval architecture produced by religious orders on German soil.
In Berne on the Weser visitors should see the interior furnishings of the St. Aegidius Church. The main piece on display: altar reredos from 1637.

Des moines cisterciens vinrent en 1232 des environs d'Helmstedt à Hude et, sous l'égide des comtes d'Oldenbourg, y fondèrent un monastère. Il devint très florissant mais, en 1533 il passa à l'évêque Franz von Waldeck qui dispersa les moines et fit démolir le monastère. Il reste des ruines qui comptent parmi les trésors de l'art monastique médiéval en Allemagne.
A Berne sur la Weser il ne faut pas manquer de voir l'intérieur de l'église St.Aegidius. La pièce maîtresse du mobilier est le retable de l'autel de 1637.

Die Stadt Delmenhorst mit ihren hübsch gestalteten Einkaufsstraßen lädt zum Bummeln ein. Delmenhorst, an der Grenze der Stadt und des Landes Bremen gelegen, hat eine reiche von Oldenburg und Bremen beeinflußte Geschichte. Sehenswert sind die Gebäude der ehemaligen Norddeutschen Wollkämmerei und Kammgarnspinnerei. Die Fabrik war im Jahre 1884 durch die Familie Lahusen errichtet worden.

The city of Delmenhorst with its beautifully designed shopping streets is an inviting place for a stroll. Delmenhorst, located on the border between the city and the state of Bremen, has a rich history that was influenced by Oldenburg and Bremen. The sights worth seeing include the buildings of the former northern German wool-carding and worsted spinning mill. The factory was erected by the Lahusen family in 1884.

La ville de Delmenhorst avec ses jolies rues commerçantes invite à flâner. Delmenhorst, située à la limite de la ville et du land de Brême, a une histoire riche, influencée par Oldenbourg et par Brême. Les bâtiments de l'ancienne usine de textile "Norddeutsche Wollkämmerei und Kammgarnspinnerei" où l'on cardait et filait la laine, méritent d'être vus. Cette usine fut créée en 1884 par la famille Lahusen.

Die Seefahrerstadt Elsfleth, gelegen an der Mündung der Munte, die bei Elsfleth in die Weser fließt, ist heute ein idyllischer Hafenplatz mit einem Rathaus, das 1623 als Wasserzollamt gebaut wurde. Mit dem Weserzoll ärgerten die Oldenburger die Bremer, die ja an Elsfleth vorbei mußten, um in die Nordsee zu gelangen. Nach Aufhebung des Weserzolls wurde das Gebäude 1820 Rathaus.

The seafarer town of Elsfleth, situated at the site where the Hunte flows into the Weser, is an idyllic port today with a Town Hall that was constructed as the Weser Customs House in 1623. By charging the Weser duty, Oldenburg annoyed Bremen ship operators, who had to sail past Elsfleth to get to the North Sea. After the Weser duty was abolished, the building became the Town Hall in 1820.

La ville de navigateurs d'Elsfleth, située au confluent de la Hunte et de la Weser, est aujourd'hui un port idyllique avec un hôtel de ville qui fut construit en 1623. C'était alors un poste de douane sur la Weser. Avec cette douane les Oldenbourgeois ennuyaient les Brêmois qui devaient passer devant Elsfleth pour atteindre la mer du Nord. Cette douane ayant été abolie, l'édifice devint hôtel de ville (1820).

Brake war bis weit ins 19. Jahrhundert hinein ein wichtiger Weserhafen – vor allem seitdem die Versandung der Weser es nicht mehr zuließ, daß größere Schiffe nach Bremen fahren konnten. Erst mit der Gründung Bremerhavens im Jahre 1827 ging die Bedeutung Brakes zurück. An der Weser steht ein 1846 erbauter optischer Telegraph, der allerdings gleich nach seinem Bau nicht mehr benötigt wurde. Heute ist hier ein Schiffahrtsmuseum.

Brake was a major Weser port until well into the 19th century - particularly since the silting up of the Weser no longer permitted larger ships to travel to Bremen. It was only when Bremerhaven was established in 1827 that Brake's significance declined. A visible telegraph structure, built in 1846 and situated on the Weser, was no longer required immediately after its construction. Today there is a Shipping Museum here.

Brake était un port important jusque dans le courant du 19e siècle. Surtout après que l'ensablement de la Weser ne permit plus aux gros bateaux de parvenir jusqu'à Brême. Ce n'est qu'avec la fondation de Bremerhaven en 1827 que Brake reprit de l'importance. Au bord de la Weser se trouve un télégraphe optique, construit en 1846 qui, cependant, devint superflu tout de suite après sa construction. A présent il y a ici le musée de la Navigation.

Die Hauptkirche des rüstringischen Stadlandes ist St. Matthäus in Rodenkirchen. Sie ist eine romanische Saalkirche, die im 13. und im 15. Jahrhundert gebaut worden ist. Erwähnenswert ist die innere Gestaltung – etwa im Schiff eine Balkendecke mit dünner Rankenmalerei von 1773. Rodenkirchen entstand vor mehr als 1000 Jahren und wurde zum Zentrum des Stadlandes. Dort wurde der Freiheitskampf der Friesen gegen die Bremer organisiert.

The main church in Rüstringen Stadland is St. Matthäus in Rodenkirchen. It is a Romanesque church that was built in the 13th and 15th century. Of interest is the interior design, including a beam ceiling in the nave with thin arabesques dating from 1773. Rodenkirchen was established more than 1000 years ago and became a center of the Stadland region. The struggle for the liberation of the Frisians against Bremen was organized there.

L'église St. Matthäus de Rodenkirchen est la principale église du Rüstringischer Stadlande. C'est une "église salle" romane qui fut construite aux 13 et 15e siècles. L'aménagement intérieur mérite d'être mentionné: dans la nef, les poutres du plafond sont décorées de vrilles peintes (1773). Rodenkirchen fut fondé il y a plus de 1000 ans et devint le centre du Stadlande. C'est là que les Frisons organisèrent la lutte pour la défense de leur liberté contre les Brêmois.

Der malerische Krabbenkutterhafen von Fedderwardersiel ist eines der Hauptausflugsziele auf der Ferienhalbinsel Butjadingen, die zwischen dem Jadebusen und der Wesermündung liegt. In Butjadingen gibt es Sand- und Grünstrände, vor allem in Burhave und Tossens, und das ebene Land mit seinen schnurgeraden Straßen eignet sich zum Radwandern.

The picturesque shrimp boat harbor in Fedderwardersiel is one of the main excursion points on the resort peninsula of Butjadingen, which is located between Jadebusen and the mouth of the Weser. In Butjadingen there are sand and green beaches, above all in Burhave and Tossens, and the flat countryside with its straight roads is well-suited for bike tours.

Le pittoresque port de pêche à la crevette de Fedderwardersiel est l'un des lieux d'excursion favoris sur la presqu'île de Butjadingen, très aimée des vacanciers. Cette presqu'île se trouve entre le Jadebusen et l'embouchure de la Weser. A Butjadingen il y a des plages de sable et des "plages vertes", surtout à Burhave et à Tossens. Ce pays plat aux routes rectilignes est idéal pour faire des randonnées à bicyclette.

Nordenham, die nördlichste Hafenstadt am linken Weserufer, ist ein Zentrum in der Wesermarsch. Eine Fußgängerzone lädt zum Bummeln ein. Das kulturelle Angebot der Stadt ist beachtlich, und die Weser fließt an der Haustür vorbei. Der älteste Ortsteil ist Blexen, der 789 erstmals erwähnt wurde. Damals starb dort auf einer Dienstreise der Bremer Bischof Willehad.

Nordenham, the northernmost port on the left bank of the Weser, is a center in the Wesermarsch region. A pedestrian zone is an inviting place for a stroll. The cultural activities offered by the city are considerable and the Weser flows right past the door. The oldest section of the city is Blexen, which was first mentioned in 789. Bremen's Bishop Willehad died on an official trip there at that time.

Nordenham, la ville portuaire la plus septentrionale sur la rive gauche de la Weser, est un centre pour le Wesermarsch. Dans sa zone piétonne il fait bon flâner. L'offre culturelle dans cette ville est considérable et la Weser coule sur son seuil. Le plus vieux quartier de Nordenham, Blexen, fut mentionné pour la première fois en 789. L'évêque brêmois Willehad y mourut alors pendant un voyage sacerdotal.

Zwischen Weser und Elbe

Wer aus dem Oldenburgischen und aus dem Ostfriesischen das Elbe-Weser-Dreieck erreichen will, sollte sich für eine kleine Seefahrt entscheiden. Zwischen Nordenham und Bremerhaven gibt es eine attraktive Fährverbindung. Von Nordenham aus sieht man Bremerhaven liegen. Die Stadt mit ihren Wohntürmen gehört zum Lande Bremen, das als Zwei-Städte-Staat von Niedersachsen eingeschlossen ist. Auch wer von Bremen nach Bremerhaven will, muß durch niedersächsisches Gebiet. Historisch gehört Bremen zum alten Kreis Niedersachsen, der von Kaiser Maximilian I. festgelegt wurde und sich westlich der Weser bis Schleswig, Mecklenburg, Magdeburg erstreckte. Bremen war damals eine der Hauptstädte des Kreises.

If you wish to travel to the Elbe-Weser triangle from the Oldenburg and the East Frisian region, you should decide on a short sea journey. There is an attractive ferry connection between Nordenham and Bremerhaven. From Nordenham you can see Bremerhaven. The city with its residential towers is part of the state of Bremen, the twin-city-state surrounded by Lower Saxony. Those who want to reach Bremerhaven from Bremen have to travel through the territory of Lower Saxony. Historically Bremen belongs to the old district of Lower Saxony, whose boundaries were established by Kaiser Maximilian I and which extended west of the Weser to Schleswig, Mecklenburg and Magdeburg. At that time Bremen was one of the major cities in the district.

Toute personne venant de la région d'Oldenbourg et de Frise orientale et se dirigeant vers le triangle Elbe-Weser, devrait choisir un petit voyage en mer. Entre Nordenham et Bremerhaven il y a une liaison en ferry non dépourvue de charme. De Nordenham on voit l'étendue de Bremerhaven. Cette ville avec ses tours d'habitation fait partie du land de Brême, composé de deux villes et entouré par la Basse-Saxe. Même pour aller de Bremen à Bremerhaven il faut passer par la Basse-Saxe. Historiquement Brême fait partie du vieux district de Basse-Saxe dont les frontières furent définies par l'empereur Maximilian I et qui s'étendait à l'ouest de la Weser jusqu'à Schleswig, Mecklenburg et Magdeburg. Brême était alors l'une des capitales de ce district.

Bad Bederkesa liegt für Wasserwanderer „an der Straße vom Nordkap ans Mittelmeer", denn der Ort liegt am Bederkesa-Geeste-Kanal, die Geeste aber fließt in die Weser. Außerdem liegt Bad Bederkesa an dem etwa 200 Hektar großen Bederkesaer See. Zum Feriengebiet des Ortes im Elbe-Weser-Dreieck gehört auch die etwas nordwestlich gelegene Flögelner Seenplatte. Klar, daß es bei soviel Wasser beste Möglichkeiten unter anderem zum Wasserwandern, zum Segeln, Surfen, Rudern, Tretbootfahren und Angeln gibt. Auch werden Seerundfahrten veranstaltet. Bad Bederkesa, in einer waldreichen Region gelegen, ist ein alter Rittersitz, der über Jahrhunderte hinweg mit der Hansestadt Bremen eng verbunden war.

For water travelers Bad Bederkesa lies "on the route from North Cape to the Mediterranean Sea" - for the town is located on the Bederkesa-Geeste Canal, but the Geeste flows into the Weser. In addition, Bad Bederkesa is situated on Lake Bederkesa, which is around 200 hectares large. The Flögeln lakeland district, to the northwest, is also apart of the resort area of the town in the Elbe-Weser triangle. It is only natural that, with all this water, there are optimum opportunities for traveling on the water, sailing, wind-surfing, rowing, pedal-boat trips and fishing. Lake tours are also offered. Situated in a wooded region, Bad Bederkesa was a residential seat for knights that was closely linked to the Hanseatic City of Bremen for centuries.

Bad Bederkesa, pour les navigateurs, se trouve sur la "route du cap Nord à la Méditerranée". Cette localité, en effet, est située sur le canal Bederkesa-Geeste et la Geeste se jette dans la Weser. De plus Bad Bederkesa est située sur le lac de Bederkesa qui mesure environ 200 ha. La Flögelner Seenplatte, située vers le nord-ouest est, elle aussi, une région aimée des vacanciers dans le triangle Elbe-Weser. Avec tant d'eau à leur disposition les amateurs de sports aquatiques - voile, surfing, rame, pédalo, pêche ou randonnée sur l'eau - sont à leur affaire. On peut aussi faire des excursions en bateau autour du lac. Bad Bederkesa, située dans une région boisée est un antique siège de chevalerie. Son histoire fut étroitement liée, au cours des siècles, à celle de Brême.

Die Burg in Bad Bederkesa wurde im Jahre 1460 von den Bremern erbaut. Ende des 17. Jahrhunderts lebte dort – zur Schwedenzeit – die junge Aurora von Königsmarck, die später die Geliebte Augusts des Starken werden sollte. In den Jahren 1971 bis 1981 wurde die Burg restauriert und zu einem Museum ausgebaut. Auf dem Burghof steht ein Roland, eine weitere Erinnerung an die Bremer.

The castle in Bad Bederkesa was built by the city of Bremen in 1460. Young Aurora von Königsmarck, who was later to become the lover of August the Strong, lived there at the end of the 17th century, at the time it belonged to Sweden. In the period from 1971 to 1981 the castle was restored and converted into a museum. In the castle courtyard there is a statue of Roland, another reminder of the people of Bremen.

La forteresse de Bad Bederkesa fut construite en 1460 par les Brêmois. La jeune Aurora von Königsmarck qui devint plus tard la maîtresse d'Auguste le Fort, y vécut à la fin du 17e siècle, du temps des Suédois. Cette forteresse fut restaurée et transformée en musée de 1971 à 1981. Dans la cour du château se trouve la statue de Roland qui rappelle les liens avec Brême.

Bei Flögeln, einem gemütlichen Bauerndorf im Bereich von Bad Bederkesa, befindet sich nicht nur die Flögelner Seenplatte. Attraktiv ist vor allem der Vorgeschichtspfad. Dort findet man mehrere Großsteingräber. Sehenswürdigkeiten sind unter anderem die Windmühlen in Bederkesa und Lintig und die Wassermühle in Hainmühlen. Es gibt viele Möglichkeiten zum Wandern und zum Radwandern.

Flögeln, a cozy rural village in the area around Bad Bederkesa, has not only a lakeland district to offer. The prehistoric trail is also very attractive. Several megalithic graves can be found there. The sights include the windmills in Bederkesa and Lintig and the water mill in Hainmühlen. There are many opportunities for hiking and biking.

Dans les environs de Flögeln, un charmant village agricole situé dans la région de Bad Bederkesa, on ne trouve pas seulement la Flögelner Seenplatte". Il y a aussi un sentier préhistorique avec plusieurs tombes mégalithiques. D'autres points d'intérêt sont les moulins à vent de Bederkesa et de Lintig et le moulin à eau de Hainmühlen. Cette région est idéale pour les randonnées à pied ou à bicyclette.

Zukunft und Vergangenheit liegen im Elbe-Weser-Dreieck dicht beieinander. Teile des Landes Wursten, das sich an der Wesermündung erstreckt, wird mit Strom aus Windparks versorgt, so aus dem Windpark bei Dorum, dem Hauptort des Landes. Im südlich gelegenen Imsum steht, gleich hinter dem Weserdeich, der „Ochsenturm". Er ist die Ruine einer Kirche, die 1218 erbaut wurde. Vermutlich gehörte sie zu einem untergegangenen Dorf. Ihren Namen verdankt die Kirche einer Sage, nach der zwei Ochsen den Standort der Kirche bestimmt hatten.

Future and past lie close together in the Elbe-Weser triangle. Parts of the Wursten region, which stretches along the mouth of the Weser, are supplied with power from wind parks, such as the one near Dorum, the main town in the region.
In Imsum, located further south, "Ochsenturm" ("Oxen Tower") stands immediately behind the Weser dike. It is the ruins of a church built in 1218. It presumably belonged to a village that disappeared. The church owes its name to a saga, according to which two oxen determined the site of the church.

L'avenir et le passé se côtoient dans le triangle Elbe-Weser. La région de Wursten qui s'étend à l'embouchure de l'Elbe est, en partie, alimentée en électricité par des champs d'éoliennes, comme celui de Dorum, la localité principale de la région. Au sud, à Imsum, juste derrière la digue, se dresse l'"Ochsenturm". C'est le vestige d'une église qui fut construite en 1218 et qui faisait probablement partie d'un village aujourd'hui disparu. Cette tour doit son nom à une légende selon laquelle deux boeufs auraient déterminé l'emplacement de l'église.

Die Nordseebäder Dorum und Wremen können auch mit Krabben-kutterhäfen aufwarten, wobei bemerkenswert ist, daß die Häfen bei Ebbe trockenfallen. Aber es sind nicht nur Dorumer und Wremer, die vom Krabbenfang leben. Überall an der Küste im Elbe-Weser-Dreieck gibt es Fischerhäfen, vor allem natürlich auch in Cuxhaven, das an der äußersten Spitze des Dreiecks liegt.

The North Sea resorts of Dorum and Wremen also have shrimp boat harbors to offer, though a distinctive feature there is that the harbors dry up at low tide. However, not only the people of Dorum and Wremen live from shrimp fishing. Everywhere along the coast in the Elbe-Weser triangle there are shipping ports, especially in Cuxhaven, of course, which is located on the outermost tip of the triangle.

Les stations balnéaires de Dorum et de Wremen sont aussi des ports de pêche à la crevette, qui, chose peu courante, sont à sec à marée basse. Les habitants de Dorum et de Wremen ne sont pas les seuls à vivre de la pêche à la crevette. Il y a des ports partout sur la côte du triangle Elbe-Weser, en particulier, bien sûr, à Cuxhaven, située à la pointe extrême du triangle.

Eines der großen deutschen Nordsee-bäder ist Cuxhaven mit seinen Strän-den unter anderem in Duhnen, Döse und Sahlenburg wo man stundenlang über das Watt laufen kann. Wahrzei-chen von Cuxhaven ist die Kugelbake, ein Seezeichen und – natürlich – das Hafenbollwerk Alte Liebe. Die Alte Liebe, ein Schiffsanleger, wurde schon im Jahre 1732 erwähnt. Es heißt, sie sei auf dem Wrack eines Piraten-schiffes erbaut worden. Sehenswert ist das 700jährige Schloß Ritzebüttel.

Cuxhaven, one of the largest German North Sea resorts, has beaches in Duhnen, Döse and in Sahlenburg, where you can walk across the "Watt" (mud-flats) for hours. The landmark of Cuxhaven is the spherical beacon, a navigation mark and, of course, the harbor bulwark, Alte Liebe. Alte Liebe, a landing stage, was mentioned back in 1732. It is said that it was built on the wreck of a pirate ship. The 700-year-old Ritzebüttel castle is also worth seeing.

Cuxhaven est l'une des plus grandes stations balnéaires allemandes sur la mer du Nord. De ses plages, celle de Duhnen, Döse et Sahlenburg, par exemple, on peut marcher des heures durant dans les "Watt". L'emblème de Cuxhaven est la Kugelbake, un signal nautique et - bien sûr - la digue du port, Alte Liebe. Le débarcadère d'Alte Liebe est attesté par un document de 1732. Il aurait été construit sur l'épave d'un bateau pirate. Le château de Ritzebüttel, vieux de 700 ans mérite une visite.

Natur und Sport bilden eine Einheit. Hinter den Deichen von Cuxhaven wandert man zu Fuß oder mit dem Rad an blühenden Rapsfeldern vorüber, an Wiesen, Weiden und Wäldern. Vor den Deichen kann man sich einmal im Jahr ein großes Pferderennen ansehen – das Duhner Wattrennen, das sozusagen auf dem Meeresgrund stattfindet. Oder man wandert über das Watt nach der Hamburger Insel Neuwerk, die von dem 35 Meter hohen Backsteinleuchtturm beherrscht wird. Wer keine Lust zum Wandern hat, läßt sich von einem Wattwagen nach Neuwerk fahren.

Nature and sport form a unity. Behind the dikes of Cuxhaven you can hike on foot or go on a bike tour past blossoming rape fields, meadows, pastures and forests. In front of the dikes there is a big horse race once a year, the Duhnen "Watt" Race, which takes place on the sea bottom, so to speak. Or you can walk across the "Watt" to the Hamburg island of Neuwerk, which is dominated by a 35-meter-high brick lighthouse. Those who don't feel like hiking can be taken to Neuwerk on a "Watt" wagon.

La nature et le sport sont indissociables. Derrière les digues de Cuxhaven on fait des randonnées à pied ou à bicyclette en longeant des champs de colza en fleur, des prairies, des pâturages et des forêts. Devant les digues, une fois par an, on peut assister à de grandes courses de chevaux qui ont lieu sur le "Watt" de Duhnen, sur le fond de la mer, pour ainsi dire. On peut faire aussi une randonnée dans les "Watt" jusqu'à l'île hambourgeoise de Neuwerk, dominée par son phare, haut de 35 mètres. Qui n'a pas envie de marcher peut se faire conduire dans une "voiture des Watt" jusqu'à Neuwerk.

Wer sich in Cuxhaven aufhält sollte sich die Kirche St. Nikolaus von Altenbruch ansehen. Sie wurde im Jahre 1200 erbaut und besitzt einen freistehenden hölzernen Glockenturm. Ebenfalls zur Stadt Cuxhaven gehört Lüdingworth, wo sich auch eine sehenswerte Kirche befindet – St. Jakobus maior. St. Nikolaus wie St. Jakobus maior gehören mit ihrer prächtigen Innenausstattung zu den Bauerndomen dieser Region. Das Bild rechts zeigt ein hölzernes Lesepult von 1776 mit Bronzeadler aus dem 14. Jahrhundert als Aufsatz.

Visitors in Cuxhaven should take a look at the St. Nikolaus von Altenbruch church. It was built in 1200 and has a detached wooden belfry. Lüdingworth, another section of Cuxhaven, also has a church worth visiting - St. Jakobus maior. St. Nikolaus and St. Jakobus maior, with splendid interior furnishings, number among the rural cathedrals in this region. The picture on the right shows a wooden lectern from 1776 with a bronze eagle dating from the 14th century mounted on it.

Les voyageurs qui séjournent à Cuxhaven devraient visiter l'église St. Nikolaus d'Altenbruch. Elle fut construite en 1200 et possède un clocher détaché en bois. Lüdingworth où se trouve également une église remarquable, St. Jakobus maior, fait partie de la ville de Cuxhaven. Les églises de St.Nikolaus et de St. Jakobus maior, avec leur magnifique mobilier, comptent parmi les "cathédrales paysannes" de cette région. L'image de droite montre un lutrin de bois de 1776, surmonté d'un aigle en bronze du 14e siècle.

Das romantische Otterndorf hat einen mittelalterlichen Stadtkern. Sehenswert sind vor allem die Lateinschule (1614), an der um 1780 der Dichter Johann Heinrich Voss lehrte, und das Kranichhaus, in dem sich heute ein Museum befindet.

Romantic Otterndorf has a medieval town center. The main sights are the Latin School (1614), where poet Johann Heinrich Voss taught around 1780, and Kranichhaus, which houses a museum today.

Le romantique bourg d'Ottendorf est bâti autour d'un noyau médiéval. La Lateinschule (1614) où le poète Johann Heinrich Voss enseigna vers 1780 et la Kranichhaus, aujourd'hui musée, méritent d' être vues.

Der Ferienort Otterndorf, an der Niederelbe gelegen, die dort 17,5 Kilometer breit ist, bietet sich als Ausgangspunkt für lange Deich- und Wattwanderungen an. Der weite und schöne Grünstrand lädt zum Sonnenbaden ein und der Hafen mit der Schleuse zum Schauen. Wassersportler finden in Otterndorf einen ruhigen Hafenplatz.

Otterndorf, a resort on the Lower Elbe, which is 17.5 kilometers wide there, is a good starting point for long walks along the dike and the "Watt". The expansive and lovely green beach is an inviting place for sunbathers, the harbor with the sluice for viewers. Water-sport enthusiasts will find a quiet harbor area in Otterndorf.

Ottendorf est une localité de vacances, située sur le bas Elbe qui, à cet endroit, mesure 17,5 kilomètres. C'est un lieu de départ idéal pour faire de longues randonnées sur les digues ou dans le Watt. Sa vaste et belle plage verte invite à prendre des bains de soleil et le port avec son écluse offre un spectacle intéressant. Les amateurs de sports aquatiques trouvent à Ottendorf un port tranquille.

Kanäle und Flüsse bilden im Lande Hadeln, das im nördlichen Teil des Landkreises Cuxhaven liegt, ein ideales Revier für Wassersportler. So führt der Hadeler Kanal bis nach Bederkesa, von wo aus man durch den Bederkesa-Geeste-Kanal in die Weser fahren kann. Besonders schön ist es im Land Hadeln – wie überall an der Küste – im Hochsommer, wenn der Himmel voller Wolkenbilder hängt.

In the Hadeln area, in the northern part of the rual district of Cuxhaven, canals and rivers provide ideal territory for water-sport enthusiasts. The Hadeler Canal, for example, runs to Bederkesa, from where one can go through the Bederkesa-Geeste Canal to the Weser. It is particularly beautiful in the Hadeln region – as everywhere on the coast – in midsummer, when the sky is full of cloud pictures.

Les canaux et les rivières font du Hadeln, situé dans la partie nord du district de Cuxhaven, une région idéale pour les amateurs de sports aquatiques. Ainsi le canal de Hadel mène jusqu'à Bederkesa d'où, en empruntant le canal de Bederkesa-Geeste, on débouche dans la Weser. Le pays de Hadeln est particulière-ment beau – comme toute la côte – lorsque, au plus fort de l'été, les nuages s'amoncellent dans le ciel.

Für Kinder ist der Baby-Zoo in der Wingst eindeutig die Attraktion. Dort werden Tierkinder gehalten, die zumeist frei in dem Tierpark umherlaufen. Aber die Wingst bietet mehr. Sie ist ein bis zu 74 Meter hoher Höhenzug mit vorgeschichtlichen Denkmalen und einem Waldmuseum mit Waldlehrpfad. Darüberhinaus ist es ein Feriengebiet mit modernem Schwimmbad und Freizeitanlage.

For children the Baby Zoo in Wingst is definitely the main attraction. Young animals are kept there that for the most part run around free in the zoo. However, Wingst offers more. It is a range of hills up to 74 meters high with prehistoric monuments and a forest museum with a forest nature trail. In addition, it is a resort area with a modern swimming pool and outdoor facilities.

Le Baby-Zoo dans la région de Wingst est, sans aucun doute, le grand favori des enfants. Les petits des animaux y sont gardés et ils s'y déplacent souvent librement. Mais la Wingst offre plus que cela. C'est une chaîne de collines qui peuvent atteindre jusqu'à 74 mètres. On y trouve des monuments préhistoriques et un musée de la Forêt avec un sentier didactique. C'est, en outre, une région de vacances avec une piscine moderne et un parc de loisirs.

Die Schwebefähre über die Oste wurde 1909 erbaut und versah ihren Dienst bis 1974. Die Fähre, die durch eine Brücke ersetzt wurde, sollte danach abgebrochen werden. Doch private Initiative sorgte dafür, daß sie betriebsfähig gehalten wurde und heute ein Technisches Museum ist. Die Schwebefähre ist in Deutschland einmalig.

The suspension ferry across the Oeste was built in 1909 and offered its services until 1974. The ferry, which was replaced by a bridge, was then supposed to be dismantled. But private initiatives ensured that it remained operational and today it is a technical museum. The suspension ferry is unique in Germany.

Le téléférique au-dessus de l'Oste fut construit en 1909 et utilisé jusqu'en 1974. Remplacé alors par un pont, il aurait dû être démoli mais une initiative privée fit en sorte qu'on continuât à l'entretenir. C'est aujourd'hui un musée Technique. Ce téléférique est unique en Allemagne.

Sand- und ebenso Grünstrände gibt es überall an der Elbe, so auch bei Bassenfleth, von wo aus es nicht mehr weit ist bis nach Stade. In der Nähe von Bassenfleth befindet sich ein Kernkraftwerk, eine Ölraffinerie, ein Umspannwerk, aber auch – ein Seevogelschutzgebiet.

There are sand as well as green beaches everywhere on the Elbe, such as near Bassenfleth, from where it is not far to Stade. Near Bassenfleth there is also a nuclear power plant, an oil refinery, a transformer station as well as a seabird reserve.

Partout sur les rives de l'Elbe il y a des plages de sable et des "plages vertes". A Bassenfleth où nous ne sommes plus très loin de Stade, ce n'est pas différent. Dans les environs de Bassenfleth il y a une centrale atomique, une raffinerie de pétrole, un poste de transformation mais aussi un site protégé pour les oiseaux aquatiques.

Unweit von Freiburg an der Elbe liegt Oederquart. Dort sollte man sich die Kirche St. Johannes d. T. ansehen. Das Gotteshaus, eine langgestreckte Saalkirche aus Backstein aus dem 14. Jahrhundert, verfügt über eine prächtige Orgel von Arp Schnitger. Sie entstand um 1680.

Not far from Freiburg an der Elbe lies Oederquart. There a visit to the St. John the Baptist Church is recommended. The house of worship, a long brick structure dating from the 14th century, has a magnificent organ made by Arp Schnitger around 1680.

Oederquart est située à peu de distance de Freiburg sur l'Elbe. On y trouve une église remarquable, celle de St.Johannes d. T. C'est une longue "église salle" de brique du 14e siècle. Elle possède un magnifique orgue d'Arp Schnitger, exécuté vers 1680.

Stade, alte Hansestadt und Tor zum Alten Land, gehört mit ihrem mittelalterlichen Bild zu den schönsten Städten Niedersachsens. Sehenswert ist unter anderem der alte Hafen mit dem Schwedenspeicher (1705) und Bürgerhäusern (17. Jahrhundert). Stade wurde 994 erstmals erwähnt.

Stade, an old Hanseatic City with a medieval appearance and gateway to Altes Land, numbers among the loveliest towns in Lower Saxony. The sights worth seeing include the old harbor with the Schwedenspeicher (a storehouse built in 1705) and town houses (17th century). Stade was first mentioned in 994.

Stade, ville hanséatique et porte sur l'Altes Land, a conservé son caractère médiéval. C'est l'une des plus belles villes de Basse-Saxe. Le port avec le Schwedenspeicher (1705) et les maisons de bourgeois (17e siècle) sont tout à fait remarquables. Stade est attestée par un document de 994.

An der Elbe, etwa zwischen Wischhafen und Assel, liegt Krautsand.
Es ist eine große von Wasser durch-
zogene Insel, die eingedeicht ist und
auf der auch Straßen angelegt worden sind. Es ist ein idealer Futterplatz
für Schafe.
Überall an der Elbe zeigen Leuchttürme den Seeleuten den Weg – so in
Lühe, wo ein sehenswerter alter
Leuchtturm steht.

Krautsand is situated on the Elbe,
roughly between Wischhafen and
Assel. It is a large diked island with
water running through it where roads
have also been constructed. It is an
ideal feeding place for sheep.
Lighthouses show sailors the way all
along the Elbe, such as in Lühe
where an old lighthouse is worth a
visit.

Krautsand est située sur l'Elbe, à peu
près à mi-chemin entre Wischhafen et
Assel. C'est une grande île parcourue
de cours d'eau. Elle est protégée par
une digue sur laquelle des routes ont
été tracées. C'est un lieu de pâture
idéal pour les moutons.
Partout au bord de l'Elbe des phares
indiquent leur route aux marins – à
Lühe, par exemple, où se dresse un
vieux phare qui vaut la peine d'être
vu.

Die Hogendieker Brücke wurde nach holländischem Vorbild gebaut. Die Brücke führt bei Steinkirchen, südöstlich von Stade, über das Flüßchen Lühe, das bei Lühe in die Elbe mündet.

The Hogendiek Bridge was build according to a Dutch model. The bridge spans the Lühe, a small river that flows into the Elbe near Lühe, which is near Steinkirchen, southeast of Stade.

Le pont de Hogendiek fut construit d'après un modèle hollandais. Il enjambe la Lühe près de Steinkirchen, au sud-est de Stade. Cette rivière se jette dans l'Elbe près de Lühe.

In der Gemeinde Jork im Alten Land liegt Borstel, dessen Zierde eine Windmühle ist. Zu den Sehenswürdigkeiten des Ortes zählt auch der Herrensitz Wehrt'scher Hof, der 1632 errichtet wurde.

Borstel, which is adorned by a windmill, is situated in the municipality of Jork in Altes land. The sights in the town include the manor "Wehrt'scher Hof", which was built in 1632.

Borstel est située dans la localité de Jork, dans l'Altes Land. Elle possède un joli moulin à vent. Le manoir de Wehrt'scher Hof, construit en 1632, est remarquable lui aussi.

Zu den Schönheiten des Alten Landes gehören die Fachwerkhäuser, an deren Giebelfront eine üppige Pracht entfaltet wurde. Die einzelnen Fächer wurden verschieden ausgemauert. Jedes Fach erhielt ein anderes Ornament. Sehr viel Liebe und künstlerischer Einfallsreichtum wurden auf die Türen verwandt. Die alten Bauernhäuser hatten auch eine sogenannte Brauttür, die außen keine Klinke hatte. Es heißt, daß der Hofbesitzer als Hochzeiter seine Braut durch diese Tür ins Haus eingeführt habe.

The half-timbered houses, on whose gable facades lavish ornamentation was created, number among the beauties in the Alte Land region. The individual compartments were bricked up in different ways. Each compartment was given a different ornament. A great deal of love and artistic imagination went into the doors. The old farmhouses also had a so-called bride's door, which had no handle on the outside. It is said that the farm owner as groom brought his bride into the house through this door.

Les maisons à colombages de l'Altes Land son particulièrement belles. Leurs pignons sont d'une magnificence exubérante. Les briques des compartiments entre les poutres forment des motifs ornementaux différents pour chacun. Les portes ont été décorées avec beaucoup de soins et une grande ingéniosité artistique. Les vieilles fermes avaient aussi une "Brauttür" qui n'avait pas de poignée à l'extérieur. Le propriétaire, le jour de son mariage aurait conduit la mariée dans la maison par cette porte.

„In Buxtehude bellt der Hund mit dem Schwanz", sagt ein altes Sprichwort aus den Anfängen der Stadt, die im 13. Jahrhundert von Holländern gegründet wurde. Die Holländer brachten Kirchenglocken mit, die innen einen hängenden Klöppel hatten, während in Deutschland die Glocken von außen mit einem Hammer zum Klingen gebracht wurden. Die Glocke nannten die Holländer „Hunte", das Seil zum Schwingen des Klöppels war für sie der „Schwanz". Über Land und Leute gibt das Heimatmuseum in Buxtehude Auskunft.

An old proverb from the beginnings of the town that was founded by Dutch settlers in the 13th century says: "In Buxtehude the dogs bark with their tails." The Dutch brought church bells with them that had a hanging tongue on the inside, while the bells in Germany were made to ring by hitting them with a hammer. The Dutch called the bell "Hunte" (similar to "Hund", German for dog), the rope to swing the tongue was for them the "tail". The museum of local history in Buxtehude provides information on the region and its people.

"A Buxtehude le chien aboie avec la queue" dit un proverbe qui date des premiers temps de la ville, fondée au 13e siècle par les Hollandais. Ceux-ci apportèrent des cloches dont le battant était suspendu à l'intérieur alors qu'en Allemagne on faisait tinter les cloches en les frappant de l'extérieur avec un marteau. Les Hollandais appelaient les cloches "Hunte" et la corde qui mettait en mouvement le battant était la "Schwanz". Le musée des traditions locales de Buxtehude informe sur ce pays et ses gens.

Zwischen Horneburg und Buxtehude liegen Hedendorf und Neukloster, wo man sich die Kirche St. Marien ansehen sollte. Und zwischen Hedendorf und Neukloster erstreckt sich ein Wald, der bei Hedendorf das Stadtgebiet von Buxtehude erreicht. Das Auge muß sich daran gewöhnen. Denn im Alten Land gibt es sonst nur Obstbäume. Es ist eines der größten Obstanbaugebiete Europas. Jeder dritte Apfel, jede dritte Birne, jede dritte Kirsche, die in Deutschland gegessen werden, sind im Alten Land gewachsen.

Hedendorf and Neukloster, where visitors should see the St. Marien Church, are situated between Horneburg and Buxtehude. And between Hedendorf and Neukloster stretches a forest that reaches Buxtehude's municipal area near Hedendorf. The eye has to get used to this - for otherwise there are only fruit trees in Alte Land. It is one of the largest fruit-growing regions in Europe. Every third apple, every third pear, every third cherry that is eaten in Germany is grown in Alte Land.

Hedendorf et Neukloster où il faut voir l'église St.Marien, sont situées entre Horneburg et Buxtehude. Entre Hedendorf et Neukloster s'étend une forêt qui arrive jusqu'aux limites de la ville de Buxtehude. L'oeil doit s'habituer à ce spectacle car dans l'Altes Land il n'y a par ailleurs que des arbres fruitiers. C'est l'une des plus grandes régions de vergers d'Europe. Une pomme sur trois, une poire sur trois et une cerise sur trois qui sont mangées en Allemagne, proviennent de l'Altes Land.

Bremervörde, alte Bischofsresidenz der Bremer Bischöfe, hat sich in den vergangenen Jahrzehnten zu einem Ferienziel entwickelt. Besonders idyllisch ist es an dem vielbesuchten 50 Hektar großen Vörder See, an dem reetgedeckte Häuser stehen, wie etwa das „Haus am See".

Bremervörde, an old diocesan town of the Bremen bishops, has developed into a resort in recent decades. It is particularly idyllic along the much frequented Vörder Lake, which is 50 hectares large and where there are thatched-roof houses, like the "Haus am See".

Bremervörde, vieille ville de résidence des évêques brêmois, s'est transformée au cours des dernières décennies en un lieu de vacances. Le lac de Vörder See, grand de 50 ha, est idyllique et attire beaucoup de visiteurs. On y trouve des maisons au toit de roseaux telles que la "Haus am See".

Die Kirche St. Vitus in Zeven ist das Gotteshaus des ehemaligen Benediktinerinnen-Klosters, das 1141 gegründet wurde. Zeven entwickelte sich nach der Überführung der Gebeine des heiligen Vitus von Corvey nach Zeven zu einem reichen Wallfahrtsort.

The St. Vitus Church in Zeven is the house of worship of the former Benedictine convent, which was founded in 1141. After the relics of St. Vitus were transferred from Corvey to Zeven, the latter developed into a rich place of pilgrimage.

St. Vitus à Zeven est l'église de l'ancien couvent de Bénédictines fondé en 1141. Après que les ossements de saint Vitus eurent été transportés de Corvey à Zeven, celui-ci devint un lieu de pélerinage prospère.

Künstlerkolonien und Reiterstadt

Die ehemalige Benediktinerkloster-kirche St. Marien in Osterholz-Scharmbeck ist eine der Sehenswür-digkeiten der Stadt, in deren Einfluß-gebiet das Teufelsmoor liegt.
Am Rande des Teufelsmoores findet man Worpswede, das Ende des 19. Jahrhunderts von dem Kunstmaler Fritz Mackensen entdeckt wurde. Andere Künstler kamen hinzu, darunter Heinrich Vogeler, der 1895 den Barkenhoff kaufte, umbaute und ihn zu einem Mittelpunkt der Künstlerkolonie machte. Heute ist er Kulturzentrum.

The former Benedictine monastery church St. Marien in Osterholz-Scharmbeck is one of the sights of the town, whose sphere of influence extends to Teufelsmoor.
On the edge of Teufelsmoor is Worpswede, which was discovered by painter Fritz Mackensen at the end of the 19th century. Other artists came after him, including Heinrich Vogeler, who bought Barkenhoff in 1895, rebuilt it and turned it into a center of the artists' colony. Today it is a cultural center.

L'ancienne église du monastère de Bénédictins St.Marien à Osterholz-Scharmbeck est l'un des points d'intérêt de cette ville dont l'influence s'étend sur la Teufels-moor.
A la limite de la Teufelsmoor se trouve Worpswede, ville découverte à la fin du 19e siècle par le peintre Fritz Mackensen. D'autres peintres suivirent son exemple. Parmi eux, Heinrich Vogeler qui acheta le Barkenhoff en 1895, le transforma et en fit l'un des centres de cette colonie d'artistes. C'est aujourd'hui un centre culturel.

Im Jahre 1908 siedelte der Maler Otto Modersohn, der bis dahin zusammen mit seiner Frau, der im Jahre 1907 gestorbenen Malerin Paula Becker-Modersohn, in Worpswede gelebt hatte, in das kleine Bauerndorf Fischerhude über. Unter seinem Einfluß wurde auch Fischerhude zur Künstlerkolonie. Heute betreibt sein Sohn, der Maler Christian Modersohn, das Modersohn-Museum.

In 1908 painter Otto Modersohn, who had lived in Worpswede up to then together with his wife, Paula Becker-Modersohn, who was also an artist and died in 1907, moved to Fischer-hude, a small rural village. Under his influence Fischerhude also became an artists' colony. Today his son, the painter Christian Modersohn, runs the Modersohn Museum.

En 1908 le peintre Otto Modersohn s'installa dans le petit village rustique de Fischerhude. Jusque-là il avait vécu à Worpswede avec sa femme Paula Modersohn, elle-même artiste peintre, morte en 1907. Sous l'influence d'Otto Modersohn, Fischerhude devint aussi une colonie d'artistes. A présent c'est son fils, le peintre Christian Modersohn qui dirige le musée Modersohn.

Fischerhude, die „grüne und stille Insel" zwischen den Wümmearmen, wie es der Schriftsteller Diedrich Speckmann, der in Fischerhude gelebt hat, einmal ausdrückte, hat den Charme des abseits vom Wege liegenden Bauerndorfes über die Zeiten hinweg bewahrt. Daran hat auch die Künstlerkolonie nichts verändert. Besuchenswert ist die Kirche Unser Lieben Frau, eine klassizistische Saalkirche (1840).

Fischerhude, the "green and tranquil island" between the branches of the Wümme, as writer Diedrich Speckmann, who lived in Fischerhude, once put it, has retained the charm of a rural village off the beaten track. The artists' colony has not changed that at all. The Unser Lieben Frau Church, a classical edifice (1840) is also worth seeing.

Fischerhude, "l'île verte et paisible" entre les bras de la Wümme, comme la qualifia le romancier Diedrich Speckmann qui vécut à Fischerhude, a conservé, à travers le temps, son charme de village rustique, situé à l'écart des grandes routes. La colonie d'artistes n'a rien changé à cela. L'église Unser Lieben Frau, une "église salle" de style néo-classique (1840) mérite une visite.

Ein mittelalterliches Bild bietet die alte Bischofsstadt Verden vom Westen her. Überragt wird die Stadt vom Dom St. Maria und St. Caecilia (849). Als Reiterstadt ist Verden weit über die Grenzen Niedersachsens hinaus bekannt. Es finden Elite-Reitpferde-Auktionen, Fohlen-Auktionen und Pferdeschauen statt. Sehenswert ist das Deutsche Pferdemuseum. Darüber aber sollte man nicht vergessen, durch die malerische Innenstadt zu bummeln.

The old diocesan town of Verden offers a medieval picture when viewed from the west. The city is towered over by the cathedral, St. Maria and St. Caecilia (849). Verden is well known as an equestrian city far beyond the borders of Lower Saxony. Elite riding horse auctions, foal auctions and horse shows take place there. The German Horse Museum is also worth a visit. At the same time, however, you should not forget to take a walk through the picturesque center.

Vue de l'ouest, la ville de Verden, siège d'un ancien évêché, offre un aspect médiéval. La ville est dominée par la cathédrale St. Maria et St. Caecilia (849). Comme ville d'hippisme Verden est connue bien au-delà des limites de la Basse-Saxe. Des ventes aux enchères de chevaux de selle et de poulains et des expositions de chevaux y ont lieu. Le musée Allemand du Cheval mérite une visite. Une ne devrait pas oublier pour autant de faire un tour dans le pittoresque centre-ville.

Thedinghausen, das noch bis vor wenigen Jahrzehnten aus historischen Gründen zum Landkreis Braunschweig gehörte, liegt unweit Verden, doch links der Weser. Sehenswert ist das sogenannte Schloß, der Erbhof, der 1619 von dem evangelischen Bremer Erzbischof Johann Friedrich von Holstein-Gottorp für seine Maitresse Gertrud von Heimbruch erbaut wurde. Das Schloß gehört in die Spätphase der Weserrenaissance.

Thedinghausen, which belonged to the district of Braunschweig for historical reasons until a few decades ago, is located not far from Verden, though on the left bank of the Weser. The sights worth seeing include the so-called Schloss, the hereditary manor, which was built in 1619 by the Protestant Bremen archbishop, Johann Friedrich von Holstein-Gottorp, for his mistress, Gertrud von Heimbruch. The palace belongs in the late phase of the Weser Renaissance period.

Thedinghausen qui, il y a quelques années à peine, faisait encore partie du district de Brunswick pour des raisons historiques, est située à peu de distance de Verden, sur la rive gauche de la Weser, cependant. L'Erbhof, appelé "le Château", fut construit en 1619 par l'archevêque protestant Johann Friedrich von Holstein-Gottorp pour sa maîtresse Gertrud von Heimbruch. Il fut construit dans une phase tardive de la Renaissance de la Weser.

Im Wald und auf der Heide . . .

Das ehemalige Schloß in Winsen an der Luhe mit Grundmauern aus dem 14. Jahrhundert war einst eine Wasserburg der Herzöge von Braunschweig-Lüneburg und erhielt seine heutige Gestalt um 1500. Im Marstall des Schlosses ist ein Heimatmuseum.

The former palace in Winsen an der Luhe with foundation walls dating from the 14th century was once a castle surrounded by water belonging to the dukes from Braunschweig-Lüneburg and was given its present design around 1500. A museum of local history is now located in the royal stables of the palace.

L'ancien château de Winsen sur la Luhe a été érigé sur des fondations du 14e siècle. C'était jadis un château à douves, propriété des ducs de Braunschweig-Lüneburg. Son aspect actuel lui fut donné vers 1500. L'écurie du château accueille un musée des traditions locales.

In Pattensen, einem Ortsteil von Winsen an der Luhe, sollte man sich die St. Gertrud-Kirche ansehen. Sie wurde 1233 erwähnt, 1627 durch die Dänen in Brand gesteckt und ein Jahr später wieder aufgebaut. Abseits der Kirche steht ihr hölzerner Glocken-stuhl.

In Pattensen, a section of Winsen an der Luhe, visitors should see the St. Gertrud Church. It was mentio-ned in 1233, set on fire by the Danes in 1627 and rebuilt a year later. Its wooden bell cage is detached from the church.

A Pattensen, un quartier de Winsen sur la Luhe, il ne faut pas manquer de voir l'église St.Gertrud. Elle est attestée par un document de 1233, fut incendiée en 1627 par les Danois et reconstruite l'année suivante. Une charpente de bois détachée de l'église supporte les cloches.

Bleckede entstand im Jahre 1209 für das 1189 zerstörte Bardowick. Es entwickelte sich zu einer wichtigen Zollstätte. Das Schloß, das an der Stelle einer Burg um 1600 erbaut wurde, wird heute als Heimvolks-hochschule genutzt. Gegenüber dem Schloß steht das ehemalige Amtsge-richt, ein klassizistischer Bau von 1810. Aus Bleckede, wo sich einige stattliche Fachwerkhäuser befinden, stammt Friedrich Wilhelm Kücken (1810-1882), der das Lied „Ach, wie ist's möglich dann . . .." komponierte.

Bleckede was established in 1209 to replace Bardowick, which was destroyed in 1189. It developed into a major customs station. The palace, which was built at the site of a castle dating from around 1600, is now used as a local adult education center. The former district court, a classical edifice from 1810, stands opposite the palace. Friedrich Wil-helm Kücken (1810-1882), who composed the song "Ach, wie ist's möglich dann…", comes from Blecke-de, where one can find several stately half-timbered houses.

Bleckede fut fondée en 1209 pour remplacer Bardowick détruite en 1189. Elle devint un important poste de douane. Le château qui fut con-struit vers 1600 sur l'emplacement d'une forteresse, est utilisé à présent par l'université des adultes. En face du château se trouve un édifice néo-classique de 1810, l'ancien tribunal cantonal. Bleckede où l'on trouve quelques maisons à colombages majestueuses, est la ville natale de Friedrich Wilhelm Kücken (1810-1882) qui composa la chanson: "Ah! Comment est-ce possible....".

Das Ortsbild von Hitzacker an der Elbe hat seinen mittelalterlichen Charakter bewahrt. Der Ort, schon vor der Zeit Heinrichs des Löwen besiedelt, hat Pest und große Brände überstanden. Hiddo, ein friesischer Ritter, hatte hier im 9. Jahrhundert seinen „Acker". Aus Hiddos Acker ist Hitzacker entstanden. Eine Besonderheit ist der Wein, der schon 1528 hier angebaut wurde. Diese Tradition wird seit 1980 fortgesetzt. Bekannt ist Hitzacker wegen der Sommerlichen Musiktage im Juli und August.

Hitzacker an der Elbe's appearance has retained its medieval character. The town was settled before the time of Henry the Lion and has withstood plagues and large fires. Hiddo, a Frisian knight, had his "field" here in the 9th century. A special feature is the wine that was grown here as early as in 1528. This tradition has been resumed since 1980. Hitzacker is known for the summer music festival in July and August.

Hitzacker sur l'Elbe a conservé son caractère médiéval. Cette localité, déjà peuplée avant l'époque d'Henri le Lion, a survécu à la peste et à de gros incendies. Hiddo, un chevalier frison, avait ici son "champ" au 9e siècle. "Hiddos Acker" a donné Hitzacker.Ce lieu a une particularité: le vin. Il y était déjà produit en 1528 et cette tradition a été reprise en 1980. Hitzacker est connu pour son festival de musique, Sommerliche Musiktage, qui a lieu en juillet et août.

Von Hitzacker aus bietet sich ein weiter Blick auf die Elbe und auf das rechte Elbufer. Hitzacker, von wo aus sich Wanderungen und Radtouren in die nähere Umgebung lohnen, war im 19. Jahrhundert zeitweilig Heilbad. Man hatte eine eisenhaltige Quelle entdeckt. Der Kurbetrieb endete mit dem Ersten Weltkrieg.

From Hitzacker there is an expansive view of the Elbe and the right bank of the river. A spa during part of the 19th century, Hitzacker is a good starting point for hikes and bike tours to the surrounding area. A spring with water containing iron was discovered here. Spa activities ended at the time of the First World War.

D'Hitzacker l'on a une vaste vue sur l'Elbe et la rive droite de l'Elbe. On peut prendre Hitzacker comme point de départ de belles randonnées à pied ou à bicyclette dans les environs. Cette ville fut une station balnéaire pendant quelques années, au 19e siècle. On y avait découvert une source ferrugineuse. Cette activité prit fin, cependant, avec la Première Guerre Mondiale.

In der Altstadt von Lüchow, deren Gemütlichkeit durch Wasserspiele unterstrichen wird, stehen viele Fachwerkhäuser, einige noch aus der Zeit vor dem großen Brand im Jahre 1811, als ein Drittel der Häuser eingeäschert wurde. Sehenswert in Lüchow ist die Stadtkirche St. Johannes aus dem 16. Jahrhundert und die ehemalige Burg.

Numerous half-timbered houses, some dating from the period prior to the great fire in 1811, when a third of the buildings were reduced to ashes, can be found in the Old Town of Lüchow, whose cozy atmosphere is underlined by fountains. Other sights worth seeing in Lüchow include the St. Johannes City Church from the 16th century and the former castle.

Dans le vieux centre de Lüchow dont le charme est accentué par les jeux d'eau, il y a de nombreuses maisons à colombages. Certaines d'entre elles furent construites avant le grand incendie de 1811 au cours duquel un tiers des maisons de la ville furent réduites en cendres. L'église St. Johannes du 16e siècle et l'ancienne forteresse méritent une visite.

Die Göhrde, ein etwa 60 Quadrat-kilometer großes Mischwaldgebiet, das zum Naturpark Elbufer-Drawehn gehört, ist der größte Staatsforst in Niedersachsen. Man sieht dort Kiefern- und 200- bis 300jährige Eichenbestände. Außerdem befin-den sich in der Göhrde ein Forstlehr-pfad und ein Waldmuseum. Der Aussichtsturm von Kovahl bietet einen wundervollen Rundblick über das wildreiche Land.

Göhrde, a deciduous and coniferous forest region measuring around 60 square kilometers that is part of the Elbufer-Drawehn nature reserve, is the largest state forest in Lower Saxony. There are pine trees as well as oaks that are 200-300 years old. In addition, Göhrde offers a forest nature trail and a forest museum. The observation tower in Kovahl provides a wonderful panoramic view over a region rich in wildlife.

La Göhrde est une région de forêt mixte d'une surface de 60 kilo-mètres carrés qui fait partie de la réserve naturelle d'Elbufer-Drawehn. C'est la plus grande forêt domaniale de Basse-Saxe. On y trouve de vieux pins et les chênes peuvent avoir jusqu'à deux ou trois cents ans. Dans la Göhrde il y a aussi un chemin didactique et un musée de la Forêt. La tour panora-mique de Kovahl offre une vue merveilleuse sur cette région riche en gibier.

Im Wendland, zwischen Lüchow und Dannenberg, leben die Nachkommen der Slawen (Wenden) in ihren Rundlingsdörfern, wo um einen runden Platz die Höfe stehen. Ein Baumgürtel schirmt das Dorf ab, zu dem es einen Zufahrtsweg gibt. Die Kirche liegt immer außerhalb der Siedlung. Wendische Dörfer sind Satemin, Mammoißel, Schreyahn.

In Wendland, between Lüchow and Dannenberg, the descendants of the Slavs (Wends) live in their nuclear villages, where the farms were grouped around a round central site. A belt of trees screens off the town, to which there is one access road. The church is always located outside the settlement. Satemin, Mammoissel and Schreyahn are Wend villages.

Le Wendland, entre Lüchow et Dannenberg, est peuplé par les descendants des Slaves (Wenden) qui vivent dans leurs villages circulaires où les fermes sont bâties autour d'une place ronde. Le village auquel mène une voie d'accès est protégé par une ceinture d'arbres. L'église se trouve toujours à l'extérieur de l'agglomération. Satemin, Mammoißel, Schreyahn sont des villages wendes.

Lüneburg, die alte Salzstadt, der zentrale Ort, der dem Land den Namen gab, hat ein interessantes Rathaus, das in mehreren Bauphasen entstanden ist. Die ältesten Teile sind aus dem 13. Jahrhundert. Die barocke Hauptfassade, errichtet im Jahre 1720, liegt dem Marktplatz zugewandt. Sehenswert im Innern ist die Gerichtslaube, die 1330 errichtet wurde. Giebel aller Stilepochen sieht man nebeneinander am Sande, wie der größere der beiden Lüneburger Marktplätze heißt. Am Sande steht

Lüneburg, the old salt town and central city that gave the region its name, has an interesting Town Hall, which was built in several construction phases. The oldest sections date from the 13th century. The baroque main facade, erected in 1720, faces Marktplatz. The so-called "Gerichtslaube", built in 1330, is worth seeing inside. You can see gables of all styles next to each other am Sande, as the larger of the two market squares in Lüneburg is called. Am Sande is also the site of the somewhat

Lunebourg, la vieille ville du sel, localité centrale qui a donné son nom à cette région, possède un hôtel de ville intéressant qui a été construit en plusieurs phases. Les parties les plus vieilles datent du 13e siècle. La façade principale, de style baroque, construite en 1720, fait face à la place du marché. A l'intérieur, la salle voûtée du tribunal, construite en 1330, est remarquable. Am Sande, la plus grande des deux places de marché de Lunebourg, se côtoient des pignons de tous les styles. Am Sande se trouve

auch die erste schiefe Kirche St. Johannes (1360). Zum Stadtbild der Hansestadt gehören der alte Kran am Ufer der Ilmenau, das nahe Kaufhaus, von dem die Fassade erhalten ist und die Lüner Mühle, die einst dem Kloster Lüne gehörte. Das vor den Toren der Stadt gelegene und vollständig erhaltene Kloster Lüne, mit reich ausgestatteter Kirche, beherbergt einen besonderen Schatz: gestickte Textilien aus dem 13. bis 16. Jh., die während der letzten Woche im August gezeigt werden.

crooked St. Johannes Church (1360). The skyline of the Hanseatic city includes the old crane on the bank of the Ilmenau, the nearby department store, whose facade is still intact, and the Lüne Mill, which once belonged to the Lüne monastery. The completely preserved Lüne monastery, situated just outside of the city, with a richly furnished church, contains a special treasure: embroidered textiles from the 13th to the 16th century, which are displayed during the last week in August.

aussi l'église quelque peu penchée St. Johannes (1360). La vieille grue (alte Kran) sur la rive de l'Ilmenau, le Kaufhaus voisin dont la façade a été conservée et le moulin de Lüne qui faisait jadis partie du couvent de Lüne, sont des éléments de l'ancienne ville hanséatique. Le couvent de Lüne, situé devant les portes de la ville et intégralement conservé est doté d'une église richement aménagée et d'un trésor particulier: des tissus brodés datant du 13 au 16e siècles. Ils sont exposés pendant la dernière semaine du mois d'août.

Pastor Bode, der an der Kirche in Egestorf predigte, nutzte seine Redegewandheit, um die Heide-landschaft vor Baumwuchs und den Menschen zu retten. Er wurde zum Vater des 1910 gegründeten Natur-schutzparks Lüneburger Heide, dessen Mittelpunkt der 169 Meter hohe Wilseder Berg ist, der höchste Berg in Nordwestdeutschland. Rund um den Wilseder Berg sind keine Autos zugelassen, sondern nur Pferdekutschen. Heidschnucken ziehen ihren Weg, und Wanderer. Denn eine Wanderung durch die Heide gehört zu den eindrucks-vollsten Naturerlebnissen, vor allem während der Heideblüte. Daß es in der Heide auch etwas lebhafter zugehen kann, zeigt sich in Luhmüh-len. Hier hält das Deutsche Olympia-kommitee für Reiterei seine Vielsei-tigkeitsprüfungen ab und alljährlich werden hier die Deutschen Meister-schaften der Militaryreiter ausgetra-gen.

Pastor Bode, who preached at the church in Egestorf, utilized his eloquence to protect the heath landscape against trees and people. He became the father of the Lüne-burger Heide nature reserve, established in 1910, the center of which is the 169-meter-high Wilseder Berg, the highest mountain in north-west Germany. No cars are allowed in the area around Wilseder Berg, at most horse-drawn carriages. Heid-schnucken (German moorland sheep) and hikers make their way through here. A hike through the Heath is a very impressive experi-ence, especially during the heath blossom. The fact that things can also get lively in the Heath is demon-strated in Luhmühlen. The German Olympic Committee for Horseback Riding holds its versatility examinati-ons here, and every year the Ger-man championships in military riding take place in Luhmühlen.

Le pasteur Bode qui prêchait à l'église d'Egestorf, utilisa son élo-quence pour sauver le paysage de la lande du boisement et de l'action des hommes. Il fut le père de la réserve naturelle de Lüneborg, fondée en 1910, dont le centre est le Wilseder Berg, haut de 169 mètres, le mont le plus élevé du nord-ouest de l'Allemagne. Les automobiles ne sont pas admises dans les alentours du Wilseder Berg, tout au plus les voitures à cheval. Les moutons de la lande vont leur chemein et les marcheurs aussi. Une randonnée dans la lande, en effet, est une expérience exceptionnelle surtout lorsqu'elle est en fleur. Mais il y a parfois plus d'animation dans la lande, à Luhmülen par exemple. C'est ici que le comité allemand olympique d'équitation procède aux épreuves combinées et, chaque année, ont lieu à Luhmülen les championnats allemands d'équitation militaire.

Bad Bevensen, das im Jahre 1162 erstmals erwähnt wurde und seit 1975 Heilbad ist, verfügt über ein modernes Kurzentrum mit Thermal-Jod-Sole-Hallen- und Freibad, aber auch über ruhige Plätze, wo man so richtig „relaxen" kann. Sehenswert in Bad Bevensen ist das Kloster Medingen. Es wurde 1228 von Zisterzienserinnen gegründet, im 18. Jahrhundert zerstört und im klassizistischem Stil wieder aufgebaut. Das Kloster birgt viele Kunstschätze. Was Bad Bevensen außerdem bietet: Hügelgräber aus der Bronzezeit, ein heimatkundliches Museum, sommerliche Schiffsfahrten auf dem Elbe-Seitenkanal, Kutschfahrten, Wanderungen auf dem Waldlehrpfad und ein Hähnewettkrähen am Pfingstsonntag. Nicht weit von Bad Bevensen liegt der Erholungsort Bienenbüttel, wo schon vor Jahrhunderten die reichen Patrizier aus Lüneburg ihre Ferien verbrachten.

Bad Bevensen, which was first mentioned in 1162 and has been a spa since 1975, has a modern spa center with thermal iodine brine halls and an outdoor pool as well as quiet places where people can really relax. A visit to the Medingen convent in Bad Bevensen is worthwhile. It was founded by Cistercian nuns in 1228, destroyed in the 18th century and rebuilt in classical style. The convent contains many art treasures. Other sights offered by Bad Bevensen: barrows from the Bronze Age, a museum of local history, summer boat trips on the Elbe side channel, carriage rides, hikes on the forest nature trail and a rooster-crowing competition on Whit Sunday. Not far from Bad Bevensen is the health resort Bienenbüttel, where rich patricians from Lüneburg used to spend their holidays centuries ago.

Bad Bevesen, attestée par une document de 1162 et station balnéaire depuis 1975, dispose d'un établissement balnéaire moderne avec halls couverts et piscine en plein air d'eau iodée et salée. Il y a aussi de petits coins tranquilles où l'on peut bien se détendre. A Bad Bevesen il faut voir le couvent de Medingen qui fut fondé en 1228 par les Cisterciennes, détruit au 18e et reconstruit dans le style néo-classique. Ce couvent abrite de nombreux trésors artistiques. A Bad Bevesen on peut voir aussi des tumulus de l'âge de bronze, un musée des traditions locales et, l'été, on peut faire des excursions sur le canal Elbe-Seiten, des tours en voiture à cheval, des randonnées le long du chemin didactique ou assister à une compétition de chant du coq, le dimanche de la Pentecôte. Bienenbüttel se trouve à peu de distance de Bad Bevensen. Les riches patriciens de Lunebourg y passaient déjà leurs vacances il y a plusieurs siècles.

Das klassizistische Fachwerk-Rathaus von Soltau wurde 1825 erbaut. Es ist allerdings nicht die einzige Sehenswürdigkeit der Heidestadt, die sich in jüngster Zeit einen Namen gemacht hat mit dem Heide-Park Soltau, in dem ein großes Spaß- und Spielangebot vor allem auf Kinder wartet.

The classical half-timbered Town Hall in Soltau was built in 1825. However, it is not the only sight worth seeing in the Heath city, which has recently made a name for itself with the Heide-Park Soltau, an amusement park offering lots of fun and games, especially for children.

L'hôtel de ville à colombages de style néo-classique de Soltau fut construit en 1825. Il n'est pas cependant la seule attraction de cette ville de la Lande qui s'est fait connaître, ces dernières années, avec le Heide-Park-Soltau où les enfants, en particulier, trouveront tout ce qu'il faut pour s'amuser.

Der Vogelpark in Walsrode ist der größte seiner Art in der Welt. Etwa 5.000 Vögel in rund 1.000 Arten flattern in der Parkanlage, in der Freiflug- und Paradieshalle und im Papageienhaus. Im Vogelpark gibt es auch eine Meeresbrandungsanlage, das Deutsche Vogelbauer-Museum und Spielplätze für die Kinder. Das nahegelegene Kloster Walsrode ist das älteste der Heideklöster und wurde 986 gegründet.

The Walsrode Bird Park is the largest of its kind in the world. About 5000 birds of around 1000 different species flutter around the park grounds, in the free-flight and paradise hall and in the parrot house. The bird park also offers an artificial surf facility, the German Birdcage Museum and playgrounds for children. The nearby Walsrode cloister is the oldest in the Heath and was established in 986.

Le parc ornithologique de Walsrode est le plus grand de ce genre au monde. Environ 5000 oiseaux de quelques 1000 espèces voltigent dans les différents espaces de ce parc qui comprend le "hall de vol libre", le "hall du paradis" et la maison des perroquets. Dans ce parc il y a aussi une installation pour faire déferler les vagues, le musée allemand des Volières et des terrains de jeux pour les enfants. Le monastère de Walsrode est situé à proximité de la ville. C'est le plus vieux monastère de la Lande. Il fut fondé en 986.

Das Kloster Ebstorf, im Jahre 1160 von Benediktinerinnen gegründet, war lange Zeit ein berühmter Wallfahrtsort. Die Klosterkirche St. Mauritius wurde im 14. Jahrhundert erbaut und besitzt – wie die Klostergebäude – eine interessante Ausstattung.

Das gilt auch für St. Marien in Uelzen. Der Bau der dreischiffigen Backsteinkirche begann 1270. Geweiht wurde sie 1292. Im Innern sind der Altar bemerkenswert und das „Goldene Schiff" in der Turmhalle. Es ist Wahrzeichen der Stadt Uelzen, die neben Lüneburg und Celle der bevölkerungsreichste Ort der Heide, Kreisstadt und bedeutender Industriestandort (Zucker) mit Hafen am Elbe-Seiten-Kanal ist.

The Ebstorf convent was founded by Benedictine nuns in 1160 and for a long time was a famous place of pilgrimage. The convent church St. Mauritius was built in the 14th century and, like the convent buildings, possesses interesting furnishings.

This also applies to St. Marien in Uelzen. Construction of the three-nave brick church began in 1270 and it was consecrated in 1292. Inside the altar and the "Goldene Schiff" ("Golden Ship") in the tower hall are remarkable. The latter is the landmark of Uelzen, which is not only the third most populous town in the Heath after Lüneburg and Celle, but also a district town and a major industrial location (sugar) with a harbor on the Elbe side channel.

Le couvent d'Ebstorf, fondé en 1160 par des Bénédictines, fut pendant longtemps un lieu de pélerinage célèbre. L'église du couvent, St. Mauritius, fut construite au 14e siècle et possède – tout comme les bâtiments du couvent – un mobilier intéressant.

Ceci est vrai aussi de St. Maria à Uelzen. Cette église de briques à trois nefs fut commencée en 1270 et consacrée en 1292. A l'intérieur, l'autel et le "bateau doré", dans la salle du clocher, sont remarquables. C'est l'emblème de la ville d'Uelzen qui, avec Lunebourg et Celle, est la localité la plus peuplée de la Lande. C'est un chef-lieu de district et un important lieu d'implantation d'industries (sucre) avec un port sur le canal Elbe -Seiten.

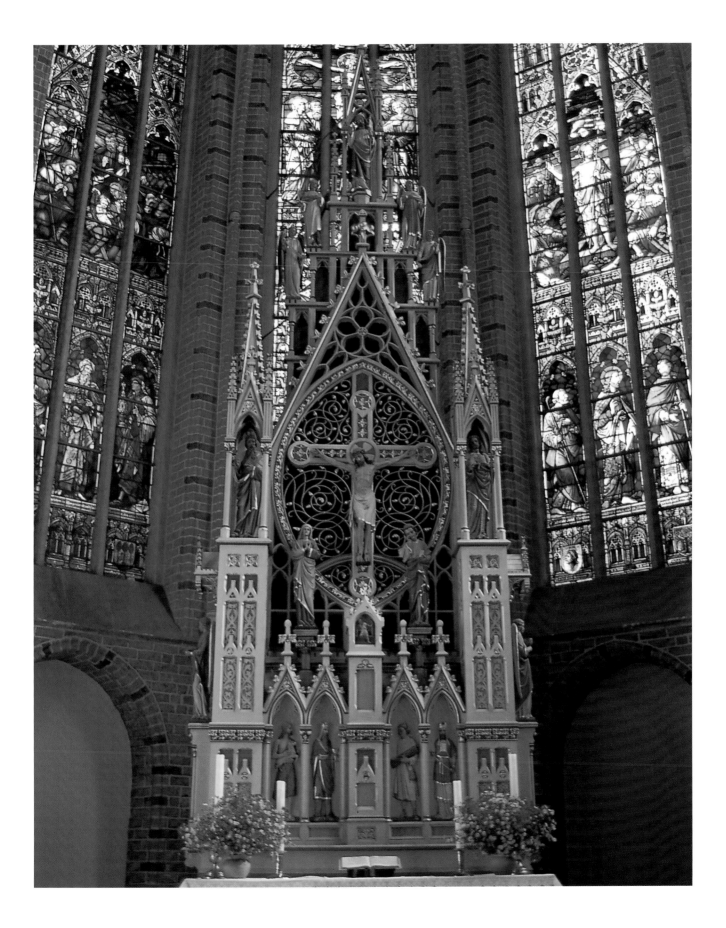

Lutterloh, zwischen Hermannsburg und Unterlüß, war – so ist überliefert – der Geburtsort des Kaisers Lothar III. von Süpplingburg. Lothar soll auf einen Lehnshof der Billunger das Licht der Welt erblickt haben. Später gehörte der Hof einen Bauern Hans v. Loh, der – wie es heißt – ein Abkomme eines natürlichen Sohnes des Kaisers gewesen sei.

According to records, Lutterloh, between Hermannsburg and Unterlüss, was the birthplace of Kaiser Lothar II von Süpplingburg. Lothar is supposed to have first seen the light of day on a feudal farm of the Billungers. Later the farm belonged to a farmer, Hans v. Loh, who - it is said - was a descendant of a natural son of the Kaiser.

Lutterloh, située entre Hermannsburg et Unterlüß, est - selon la tradition - le lieu de naissance de l'empereur Lothar III von Süpplingburg. Lothar serait venu au monde dans une ferme, dans le fief des Billunger. Plus tard cette ferme appartenait à un paysan Hans v. Loh qui - dit-on - aurait été le descendant d'un fils naturel de l'empereur.

Das ehemalige Zisterzienserinnenkloster St. Maria, Alexander und Laurentius in Wienhausen wurde um 1225 durch die Herzogin Agnes, Schwiegertochter Heinrichs des Löwen, gegründet. Heute ist es ein Damenstift. Sehenswert sind die Kirche und die Klostergebäude. In der Schatzkammer des Klosters befinden sich neun kostbare mittelalterliche Bildteppiche mit geistlichen und weltlichen Darstellungen, die meist im Verborgenen ruhen und nur in der Woche nach Pfingsten zu besichtigen sind.

The former Cistercian convent St. Maria, Alexander and Laurentius in Wienhausen was established by Duchess Agnes, the daughter-in-law of Henry the Lion. Today it is a ladies' home. It is worth taking a closer look at the church and convent buildings. The treasure chamber of the convent includes nine valuable medieval tapestries with spiritual and secular scenes that are usually kept under lock and key and can only be seen in the week after Whitsun.

L'ancien couvent des Cisterciennes, St.Maria, Alexander et Laurentius à Wienhausen fut fondé en 1225 par la duchesse Agnès, belle-fille d'Henri le Lion. C'est aujourd'hui une maison religieuse pour dames. L'églises et les édifices du couvent sont remarquables. La salle du trésor du couvent contient neuf précieuses tapisseries médiévales qui représentent des sujets religieux ou séculiers. Elles ne sont accessibles au public que pendant la semaine qui suit la Pentecôte.

Zu den schönsten Städten in Niedersachsen gehört die alte Herzogenstadt
Celle, das Wirtschafts- und Verwal-
tungszentrum der südlichen Heide-
Region. Die Innenstadt wird geprägt
von prächtigen Fachwerkhäusern aus
dem 15. bis 18. Jahrhundert. Für
Pferdefreunde gibt es in Celle das
Landesgestüt von 1735 von Georg II.,
Kurfürst von Hannover und König
von Großbritannien gegründet, wo
regelmäßig im Oktober die Hengstpa-
rade stattfindet.

One of the most beautiful cities in
Lower Saxony is the old ducal town
of Celle, the economic and admini-
strative center of the southern Heath
region. The face of the city center is
formed by magnificent half-timbered
houses dating from the 15th to the
18th century. For horse fans Celle has
a state stud farm, which was established by George II, elector-prince of
Hanover and king of Great Britain,
and where the stallion parade takes
place every October.

Celle, vieille ville ducale est l'une des
plus belles villes de Basse-Saxe. C'est
le centre administratif et économique
de la partie sud de la Lande. De
magnifiques maisons à colombages
datant du 15 au 18e siècle, caractéri-
sent le centre-ville. Le haras du land
se trouve à Celle, ce dont les amis des
chevaux se réjouissent. Il fut fondé
en 1735 par George II, prince-
électeur de Hanovre et roi de Gran-
de-Bretagne. La parade des étalons a
lieu régulièrement en octobre.

Im Celler Schloß, das 1292 als Burg errichtet wurde, lebte 1772 bis 1775 die wegen ihrer Liebe zu Struensee, der Minister ihres Mannes war, nach Celle verbannte dänische Königin Caroline Mathilde. Die Prunkräume zeugen noch heute vom Glanz, den sie nach Celle brachte. Weiterhin sehenswert: Die Kapelle (in einheitlicher Renaissance-Ausstattung) und das Schloßtheater (1674), das älteste Barocktheater Deutschlands.

The palace in Celle was built as a castle in 1292; the Danish queen, Caroline Mathilde, lived there from 1772 to 1775 after being banished to Celle because of her love to Struensee, who was one of her husband's ministers. The magnificent rooms still testify to the glory and splendor that she brought to Celle. It is worth paying a visit to the chapel (with Renaissance furnishings throughout) and the palace theater (1674), the oldest baroque theater in Germany.

Le château de Celle fut construit en 1292 comme forteresse. La reine du Danemark Caroline Mathilde y vécut de 1772 à 1775. Elle avait été bannie à Celle à cause de son amour pour Struensee, le ministre de son mari. Les salles d'apparat témoignent de la splendeur qu'elle apporta au château. La chapelle au mobilier homogène de style Renaissance et le théâtre du château (1674 - le plus vieux théâtre baroque d'Allemagne) méritent une visite.

Eine Attraktion von internationalem Rang ist das Mühlenmuseum in Gifhorn. In ihm befinden sich über 40 maßstabsgetreu nachgebaute Modelle von Mühlen aus aller Welt. In einem Mühlenhaus werden Kuchen und Brot nach alten Rezepten gebacken. Gründer des Museums ist der Designer Horst Wrobel.

The mill museum in Gifhorn is an international attraction. It has on display over 40 true-to-scale copied models of mills from all over the world. Cake and bread are baked according to old recipes in a miller's house. The museum was founded by designer Horst Wrobel.

Le musée des Moulins à Gifhorn est une attraction de niveau international. On y trouve plus de 40 modèles de moulins du monde entier, construits à l'échelle. Dans une maison de meunier l'on fait cuire du pain et des gâteaux selon de vieilles recettes. Le designer Horst Wrobel a fondé ce musée.

Nicht weit vom Mühlenmuseum steht das Gifhorner Schloß, das sich auch nur einen Katzensprung weit von der Fußgängerzone entfernt befindet. Das wehrhaft gebaute Schloß, das von den Welfen bewohnt wurde, stammt aus dem 16. Jahrhundert, wurde nie von Feinden erobert und ist das Wahrzeichen der Stadt Gifhorn.

Not far from the mill museum is the Gifhorn castle, which is only a stone's throw away from the pedestrian zone. The castle, which was built as a fortress in the 16th century, was a residence for the Guelphs, was never conquered by enemies and is the landmark of Gifhorn.

Le château de Gifhorn est situé à peu de distance du musée des Moulins et à deux pas de la zone piétonne. Cette construction défensive, habitée jadis par les Guelfes, date du 16e siècle. Elle ne fut jamais prise par l'ennemi et constitue l'emblème de la ville de Gifhorn.

Heinrich Hoffmann von Fallersleben, der das Deutschlandlied geschrieben hat, stammte aus Fallersleben, wo er am 2. April 1798 in einem im Jahre 1667 errichteten und noch heute stehenden Haus in der Westerstraße 4/ Ecke Hoffmannstraße geboren wurde. Hoffmann von Fallersleben starb am 19. Januar 1874 in Corvey. Fallersleben mit seinen schönen Wohnhäusern und seinem ehemaligen Schloß gehört heute zur Stadt Wolfsburg.

Heinrich Hoffmann von Fallersleben, who wrote the German national anthem, came from Fallersleben, where he was born on April 2, 1798 in a house that was built in 1667 and is still standing today at Westerstrasse 4 on the corner of Hoffmannstrasse. He died on January 19, 1874 in Corvey. Fallersleben; with its lovely residential houses and a former castle, is now part of the city of Wolfsburg.

Heinrich Hoffmann von Fallersleben qui a composé la "Deutschlandlied" était originaire de Fallersleben. Il naquit le 2 avril 1798 dans une maison construite en 1667 et qui existe encore. Elle se trouve au no 4 de la Westerstraße, au coin de la Hoffmannstraße. Hoffmann von Fallersleben mourut le 19 janvier 1874 à Corvey. Fallersleben avec ses belles maisons et son ancien château fait partie, à présent, de la ville de Wolfsburg.

Die Burg Wolfsburg ist seit etwa 1300 nachweisbar. Zu einer Stadtgründung kam es im Jahre 1938. Damals wurde auf dem Boden des Rittergutes Wolfsburg die „Stadt des KdP-Wagens" gegründet. Es ist die bedeutendste deutsche Stadtgründung des 20. Jahrhunderts. Ausgangspunkt war die markante Scheidung zwischen Industrie und Wohnbezirken durch den Mittellandkanal. Sehenswert ist das Kulturzentrum von Alvar Aalto, erbaut 1959 bis 1963.

Wolfsburg Castle has been documented since around 1300. The city was established in 1938. At that time the "city of the KdF-Wagen" (refers to VW being the car of the people) was founded on the grounds of the Wolfsburg manor. Its establishment as a city is regarded as the most important in Germany in the 20th century. The starting point was the pronounced separation between industry and residential areas by the Midland Canal. It is worth paying a visit to the Alvar Aalto cultural center, built from 1959 to 1963.

La forteresse de Wolfsburg est attestée depuis 1300 environ. La ville ne date que de 1938. C'est alors que fut fondée, sur le sol du domaine seigneurial de Wolfsburg la "ville de la voiture KdF" (force par la joie). C'est la fondation de ville la plus importante en Allemagne au 20e siècle. L'intention, au départ, était de séparer bien clairement l'industrie et les quatiers résidentiels au moyen du canal de Mittelland. Le centre culturel d'Alvar Aalto, construit entre 1959 et 1963 est remarquable.

Zu den Sehenswürdigkeiten in Wolfsburg gehört das Volkswagenwerk, das von 1938 an durch die Industriearchitekten Fritz Schupp, M. Kremmer und Kohlbecker unter der Leitung von R. E. Mewes errichtet wurde. Zweidrittel des Werkes fielen dem Bombenangriffen während des Zweiten Weltkrieges zum Opfer, wurden jedoch gleich nach dem Kriege rekonstruiert.

The sights in Wolfsburg include the Volkswagen plant, which was erected by industrial architects Fritz Schupp, M. Kremmer and Kohlbecker under the management of R.E. Mewes. Two thirds of the plant fell victim to bombing raids during World War II, but it was reconstructed immediately after the war.

L'une des attractions de Wolfsburg est l'usine Volkswagen qui fut construite à partir de 1938 par les architectes industriels Fritz Schupp, M.Kremmer et Kohlbecker sous la direction de R.E. Mewes. Les deux tiers des usines furent détruites par les bombes de la Deuxième Guerre Mondiale mais elles furent reconstruites tout de suite après la guerre.